KB207351

기억이 머무는 서점

기억이 머무는 서점

발 행 | 2025년 03월 12일
저 자 | 남택상
펴낸이 | 한건희
펴낸곳 | 주식회사 부크크
출판사등록 | 2014.07.15.(제2014-16호)
주 소 | 서울특별시 금천구 가산디지털1로 119 SK트윈타워 A동 305호
전 화 | 1670-8316
이메일 | info@bookk.co.kr

ISBN | 979-11-419-9842-4

www.bookk.co.kr

기억이머무는서점

글노마드 지음

CONTENT

CONTENT

머리말

기억은 우리 삶을 이루는 가장 중요한 조각이다. 우리는 기억을 통해 사랑을 배우고, 상처를 견디며, 자신을 형성한다. 때로는 잊고 싶은 기억이 있고, 때로는 반드시 붙잡아야 할 기억이 있다. 하지만 기억은 언제나 우리의 뜻대로 머물러 주지 않는다.

이 책은 기억을 되찾고, 잃고, 다시 마주하는 과정에 대한 이야기다. 기억을 다루는 신비한 서점에서, 잃어버린 과거를 찾으려는 이들이 문을 두드린다. 그들은 때로는 기억을 되찾고자 하고, 때로는 기억을 지우고자 한다. 하지만 기억을 되찾는 것이 곧 진실을 받아들이는 것과 같지는 않다. 때로는 기억이 우리를 속이고, 때로는 우리가 기억을 왜곡하기도 한다.

기억을 간직한다는 것은 무엇을 의미할까?

그것은 단순히 과거를 떠올리는 것이 아니라, 과거를 통해 현재를 살아가는 방법을 배우는 것이다. 그리고 잊지 않는다는 것은, 반드시 기억을 붙잡고 있는 것이 아니라 그 기억이 남긴 감정을 품고 살아가는 것일지도 모른다.

이 책을 읽는 동안, 여러분도 한 번쯤 떠올려 보길 바란다.

당신이 간직하고 싶은 기억은 무엇인가? 그리고, 잊고 싶지만 결국 잊히지 않는 것은 무엇인가?

이 이야기가, 기억과 함께 살아가는 법을 고민하는 이들에게 작은 울림이 되길 바라며….

1화. 청연서점

책장의 나뭇결 사이로 부드럽게 스며든 오후의 햇살이 바닥을 타고 길게 누웠다. 먼지 입자들이 공기 속을 부유하다가 빛줄기에 부딪혀 낙화하곤 했다. 서점은 언제나처럼 조용했고, 문을 여닫는 낡은 종소리마저도 시간을 밀어내지 못하는 듯, 한결같이 같은 자리에 머물러 있었다.

정서아는 책장을 정리하며 그 조용한 순간을 음미했다. 종이의 바삭한 촉감, 오래된 표지에서 배어 나오는 잉크와 종이의 혼합된 냄새. 그것은 단순한 서점의 공기가 아니라, 수십 년, 어쩌면 수백 년의 기억이 겹겹이 쌓인 흔적이었다.

그리고 그 순간, 서점의 문이 열렸다. 종소리는 마치 심연 속에서 울려 퍼지는 메아리처럼 길게 이어졌고, 차가운 공기 한 줄기가 문틈으로 흘러들었다. 한 남자가 문간에 서 있었다. 그는 한 손을 주머니에 넣은 채, 한 걸음도 떼지 못한 채 서점을 바라보고 있었다. 회색 코트 깃이 살짝 접혀 있었고, 옷자락 끝에는 미세한 빗방울이 스며 있었다. 금방이라도 밖에서 내리는 비가 서점 내부로 밀려들 것처럼, 그의 존재는 공간을 어색하게 만들었다.

정서아는 말없이 그의 동선을 쫓았다. 그는 마치 서점을 처음 본 사람처럼 책장 하나하나를 천천히 훑어보고 있었다. 책등을 손가락으로 스치며 읽을 수 없는 무언가를 찾는 듯한 눈빛. 그러나 그 손길은 조심스러웠고, 마치 특정한 기억을 건드리는 것이 두려운 사람처럼 책을 꺼내려다가도 이내 멈추었다. 그의 행동에는 망설임과 불안이 서려 있었다.

"그 책을 찾으셨나요?"

정서아의 목소리는 낮았지만, 공기를 흔들 정도의 충분한 무게를 지니고 있었다. 남자는 고개를 돌려 그녀를 바라보았다. 검은 눈동자가 흔들렸다. 순간적으로 무언가를 기억해 낸 듯, 또는 반대로 잊어야 한다는 것을 다시 상기한 듯. 그는 입술을 달싹였지만, 대답하지 않았다. 그 대신 그는 책장 깊숙한 곳으로 손을 뻗었다. 오래된 양장본 한 권. 표지는 시간에 바란 감청색이 되었고, 제목의 글씨는 세월의 흔적으로 읽을 수 없었다.

책을 펼치는 순간, 서점 안의 공기가 미묘하게 바뀌었다. 마치 무언가가 깨어나듯, 책장 틈에서 바람이 스치고, 먼지가 가볍게 일렁였다. 남자의 시선이 책장에 고정이 되어 있었다. 글자는 한 줄 한 줄 그의 눈 속으로 스며들었다. 그리고 그 순간, 그의 손끝이 미세하게 떨리기 시작했다. 기억이 떠오르기 시작한 것이다. 그의 눈동자가 흔들리며 공허한 공간을 가로질렀다.

7년 전, 비 오는 날, 회색빛으로 흐려진 도심 한구석. 가로등 아래에서 누군가를 기다리던 모습. 손에는 작은 메모지가 들려 있었고, 그 속에는 누군가가 남긴 마지막 한 마디가 있었다.

"기억해 줘."

그의 심장이 갑자기 움켜쥐어진 듯 조였다. 순간적으로 숨을 삼켰고, 현실로 돌아왔다. 책을 덮는 순간, 남자는 두 손을 꽉 쥐었다. "이제 알겠어요." 낮은 소리로 읊조리는 그의 목소리는 간신히 균형을 잡고 있었지만, 그 안에는 미세한 떨림이 있었다. "나는…. 그녀를 잊고 싶었던 게 아니라, 다시 기억하고 싶었던 거였어요." 정서아는 조용히 그를 바라보았다.

"그래서 이제는 무엇을 하실 건가요?"

남자는 책을 가만히 내려다보았다. 그의 손끝에는 아직도 여운이 남아있었다. 기억이 떠오른다는 것은 곧 그것을 감당할 준비가 되어 있어야 한다는 의미였다. 그는 결국 책값을 치르고, 마지막으로 서점을 둘러보았다. 그의 뒷모습이 문을 넘어가며, 빗속으로 사라졌다.

그리고 정서아는 창밖을 바라보며 생각했다. 기억을 되찾은 사람은 다시 이곳을 찾을까, 아니면 이곳을 떠난 채로 남을까? 그러나 그것은 중요하지 않았다. 기억이든 망각이든, 결국 모든 선택은 스스로 몫이니까?

비는 오랜 시간 서점의 지붕을 두드리고 있었다. 마치 기억이란 것이 본래부터 물기 어린 채로 존재했던 것처럼, 빗방울은 유리창을 따라 흘러내리며 사라졌다. 밖의 세상은 뿌옇게 번져 있었고, 한때는 선명했을, 거리의 형체들도 이제는 기억 속에서처럼 희미해져 있었다. 남자는 아무 말 없이 서가 사이를 유영하듯이 걸었다. 마치 누군가의 이름을 잊어버린 사람이 혀끝에 맴도는 그 무언가를 되찾기 위해 안간힘을 쓰듯, 그는 책장 앞에서 한참을 머물렀다. 손끝은 책등 위를 천천히 더듬어 갔고, 서점의 공기는 그의 손길을 따라 미세한 파동이 일어났다.

그리고 그는 멈추었다. 낡은 양장본 한 권. 감청색 표지는 시간이 지나면서 바래졌고, 제목은 이미 오래전에 닳아버렸다. 마치 그것이 원래부터 그렇게 존재했던 것처럼, 혹은 처음부터 이름이 없는 책이었던 것처럼 우두커니 자리했다.

그는 책을 펼쳤다. 첫 장을 넘기는 순간, 공기가 달라졌다. 먼지가 덮인, 오래된 종이에서 퍼지는 특유의 냄새가 코끝을 스쳤다. 그러나 그것은 단순한 종이의 향이 아니었다. 거기에는 오래된 비 오는 날의 냄새가 섞여 있었고, 물에 젖은 머리칼의 잔향, 그리고 저녁이 되도록 식지 않은 누군가의 체온이 희미하게 배어 있었다.

그는 알 수 있었다. 문장들이 한 줄, 한 줄 그의 눈 속으로 스며들 때마다, 기억은 한 겹씩 깨어났다.

비 오는 오후, 한낮과 저녁의 경계에 걸친 시간. 공원 벤치에 앉아 있던 한 여자가 천천히 몸을 돌려 자신을 바라보던 순간. 그녀의 눈동자에는 그가 알지 못하는 것들이 가득 차 있었고, 그녀가 건넨 작은 메모지는 물기를 머금고 있었다.

"기억해 줘."

짧은 문장이었다. 그러나 그것이 남긴 여운은 마치 물속 깊이 가라앉은 물건이 다시 떠오를 때처럼 무겁고도 선명했다. 그의 손이 떨리기 시작했다. 책장을 더 넘겨야 한다는 것을 알고 있었지만, 그는 주저하고 있었다. 이제 이 책이 그에게 무엇을 보여줄지, 그가 무엇을 기억해야 할지. 그래서 그는 책을 덮었다. 깊은 한숨이 그의 가슴을 파고들었다.

서점은 여전히 고요했다. 그러나 정서아는 알고 있었다. 이 공간을 가득 채우고 있는 것은 정적이 아니라, 그의 내면에서 끊임없이 요동치는 기억의 파동인 것을 말이다. 그녀는 천천히 다가갔다.

"당신이 찾고 있던 것이 이 책이 맞나요?"

그는 그녀를 바라보았다. 아직도 책을 쥔 손이 가늘게 흔들리고 있었고, 숨을 들이마시는 것도 잊은 듯한 표정이었다.

"나는…"

그는 무언가를 말하려 했지만, 그 말이 무엇이었는지 자신도 알 수 없었다. 기억을 되찾았다는 안도감과, 다시는 돌아갈 수 없다는 사실이 뒤섞이면서 그는 눈을 감았다. 그러나 이제 그는 선택해야 했다. 기억을 붙잡을 것인가, 아니면 다시 떠나보낼 것인가? 비는 여전히 서점의 창을 두드리고 있었다.

그는 책을 내려다보았다. 마치 그것이 단순한 물건이 아니라 과거가 응축된 결정체라도 되는 듯, 손끝에서 전해지는 미세한 떨림이 지울 수 없는 진실을 알려주고 있었다. 책장은 아직 반쯤 펼쳐져 있었고, 그 안에는 그의 이름도, 그녀의 마지막 말도, 그리고 그가 이제까지 외면해 온 시간이 빼곡히 새겨져 있었다.

바람이 창문을 스치고 지나갔다. 서점 안은 여전히 고요했지만, 바깥의 바람은 어딘가 초조한 듯, 어쩌면 오래전부터 정체된 이곳의 시간을 깨뜨리고 싶어 하는 것처럼 들렸다.

"그 책을 선택하시겠어요?"

정서아의 목소리는 부드러웠다. 그러나 그것은 유혹도, 설득도 아니었다. 그저 하나의 길을 보여주는 것뿐이었다. 이곳에서는 선택을 강요하지 않는다. 기억을 되살릴 것인지, 사라지게 할 것인지는 오로지 그 당사자의 몫이었다. 그는 천천히 숨을 들이마셨다. 그리고…, 책을 덮었다.

그 순간, 서점의 공기가 바뀌었다. 책장을 통해 퍼져나가던 희미한 먼지가 조용히 가라앉았고, 여전히 창밖에서는 바람이 불고 있었지만, 더 이상 그 바람이 무엇을 전하려고 하는 것처럼 느껴지지 않았다. 그는 이제, 한 가지 결정을 내린 사람이었다. 책을 사기로 한 것이다. 그의 손이 조금 더 단단히 책을 감쌌다. 마치 그것을 잃어버릴까 두려워하는 듯이 혹은 인제야 그것이 자기 것이 되었다는 안도감이 스며든 듯했다.

"이 책을 사겠습니다."

정서아는 고개를 끄덕였다. 아무런 말도 덧붙이지 않았다. 그녀는 이미 수많은 선택의 순간을 보아왔고, 이 결정이 어떤 의미가 있는지 잘 알고 있었다. 그가 문을 나서기 전, 한순간 멈칫했다.

"기억을 되찾은 사람들은… 다시 돌아오나요?"

그녀는 눈을 깜빡이며 그를 바라보았다. 질문은 담담했지만, 그 안에는 그 자신도 모르는 불안이 깃들어 있었다. 기억을 되찾은 후, 그것이 과연 삶을 더 나아지게 할 것인지, 아니면 다시 잊고 싶어질 정도로 무거운 것이 될지는 아무도 모른다. 그녀는 짧게 미소 지었다.

"사람에 따라 다르죠. 어떤 사람들은 다시 찾아오고, 어떤 사람들은 돌아오지 않아요."

그는 다시 짧게 숨을 내쉬었다. 그리고 문을 열고 나섰다. 그의 뒷모습이 서점 문을 지나 어두운 골목으로 사라졌다. 비가 그친 후에도 공기는 여전히 습했고, 거리의 가로등 불빛은 흔들리는 물결처럼 번져 있었다. 정서아는 창가에 서서 한동안 그가 사라진 길을 바라보았다. 책을 손에 쥐고 떠나는 사람들의 뒷모습을 그녀는 셀 수 없이 보아왔다. 하지만 그들이 다시 돌아올지 아닌지는 알 수 없었다. 어떤 사람들은 되찾은 기억을 가지고 다시 이곳을 찾았고, 어떤 사람들은 더 이상 자신이 이곳에 왔었다는 사실조차 기억하지 못할 만큼 멀어져 갔다.

창밖으로 불어온 바람이 그녀의 머리카락을 스쳤다. 그녀는 조용히 서점 안으로 돌아와 책장 사이를 걸었다. 책들은 여전히 묵묵히 서 있었다. 시간이 쌓이고 쌓여, 잊힌 이야기들을 책들은 가슴에 품고 있었다. 그리고 그들은 또 다른 누군가를 기다리고 있었다. 기억이 머무는 곳, 기억이 사라지는 곳, 그리고, 그 모든 기억이 머무는 청연 서점은 그렇게 또 하나의 기억을 남긴 채, 조용히 문을 닫았다.

2화. 변호사 김도윤

그날, 서점은 평소와 다름없이 고요했다. 빛은 유리창을 통해 가만히 스며들었고, 책장과 책장 사이에 쌓인 공기는 먼지 냄새로 빵빵했다. 나무 마루의 미세한 뒤틀림, 손끝으로 스치면 바스락거리는 종이의 감촉, 그리고 어딘가 책 속에서 삐져나온, 오래된 책갈피에서 희미하게 풍겨 나오는 잉크와 바닐라 향이 기지개를 켰다. 정서아는 책을 정리하며 무심코 창밖을 바라보았다. 저녁이 가까워지면서 바람이 골목 끝을 휘돌았다. 그리고 그 순간, 서점의 문이 열렸다.

문이 열릴 때마다 들리는 낡은 종소리는 유독 그날따라 길게 울렸다. 서점 안으로 들어온 남자는 깔끔한 정장 차림이었다. 그러나 그의 모습은 단정한 옷차림에도 불구하고 어딘가 흐트러져 있었다. 넥타이가 조금 느슨하게 매여 있었고, 손끝이 떨리는 듯 보였다.

김도윤은 서점을 둘러보았다. 마치 처음 와보는 곳인데, 그러나 어딘가 낯익은 곳을 다시 찾은 사람처럼 보였다. 책장을 손끝으로 스치며 걸음을 옮겼다. 그의 시선은 특정한 한 권을 찾고 있는 것처럼 보였지만, 정작 그 자신은 무엇을 찾아야 하는지 알지 못하는 듯했다. 그리고 결국, 그는 조용히 카운터 앞으로 다가왔다.

"잃어버린 기억을 되찾고 싶습니다."

정서아는 책을 쥔 손을 멈칫했다. 그녀는 많은 사람을 보아왔다. 대부분 잊고 싶은 기억을 지우기 위해 서점을 찾는 사람들도 있었다. 그러나 잃어버린 기억을 찾기 위해 오는 사람들은 흔치 않았다. 서점의 책들은 기억을 지우거나 흐리게 만들 뿐, 잃어버린 기억을 되찾아 주지는 않는다. 그녀는 천천히 시선을 들어 김도윤을 바라보았다. 그의 눈빛에는 확고한 결심이 서려 있었다. 단순한 호기심이 아니었다. 그는 무언가를 간절히 원하고 있었다.

"서점의 책들은 기억을 지우거나 흐리게 만들 뿐입니다."
정서아는 천천히 말했다. 그녀의 목소리는 부드러웠지만, 단호했다.
"되찾아 주지는 않아요."
김도윤은 예상이라도 했다는 듯, 잠시 입술을 깨물었다. 그의 손이 테이블 위에서 주먹을 쥐었다가 다시 풀렸다.
"그런 줄 알지만, 그래도 이곳을 찾았습니다. 제가 7년 전의 기억을 잃었습니다. 단순한 망각이 아니라, 제가 원치 않게 사라진 기억입니다. 그때 무슨 일이 있었는지, 왜 그 기억이 사라졌는지…. 저는 알아야겠습니다."
그의 말은 추로 바닥을 찍었다. 그러나 그가 내쉬는 숨결, 그가 손끝으로 무의식적으로 테이블을 두드리는 작은 습관 속에, 서아는 그의 불안한 마음을 읽을 수 있었다. 그는 사라진 기억을 알지 못하는 것을 두려워하고 있었다. 어쩌면, 기억을 되찾은 후에 마주할 진실을 더 두려워하는지도 몰랐다.
"기억을 되찾고 싶다면, 대신 한 가지를 잃어야 할 수도 있습니다."
정서아의 말에 김도윤은 고개를 들었다.
"잃는다…. 고요?"
"기억은 단순한 정보가 아닙니다. 감정이고, 경험이며, 당신을 이루는 조각 중 하나입니다."
그녀는 잠시 창밖을 바라보았다. 저녁이 가까워지면서 바람이 더욱 세차게 불고 있었다.
"잃어버린 기억을 찾으려 한다는 건, 과거의 자신을 다시 맞이하는 일입니다. 하지만 어떤 기억은 사라졌기에 견딜 수 있었던 것일 수도 있습니다."
그녀는 그래서 어떻게 할 거냐? 라고 묻는 듯이 그를 바라보았다.

"당신은 그걸 감당할 수 있나요?"

김도윤은 대답하지 않았다. 하지만, 그의 손끝이 다시 떨리고 있었다. 그는 오랫동안 망설이다가, 결국 고개를 끄덕였다.

"감당할 수 있습니다. 아니, 감당해야 합니다."

그의 목소리는 흔들렸지만, 더는 물러설 곳이 없다는 듯 단단했다. 정서아는 조용히 책장을 바라보았다. 그곳에는 오래된 책들이 가득했다. 그리고 그중 어느 한 권이, 마치 기다리고 있었다는 듯, 희미하게 빛을 발하고 있었다.

"그렇다면, 선택하세요."

김도윤은 숨을 깊이 들이쉬었다. 그의 손이 천천히 책을 향해 뻗어갔다. 그리고 그 순간, 서점 안의 공기가 흔들리기 시작했다. 기억이 깨어나는 순간이 다가오고 있었다.

서점은 오래된 공기 속에서 가만히 호흡하고 있었다. 창밖에서는 겨울비가 흩날렸다. 얇게 스며드는 비 내음이 종이와 잉크의 냄새와 뒤섞이며 공간을 적셨다. 서점의 오래된 마룻바닥은 가벼운 숨을 내쉬듯 미세한 뒤틀림을 만들어 냈고, 천장의 전등은 빛을 잃은 낡은 샹들리에처럼 조용히 흔들리고 있었다. 그 조용한 공간에서, 정서아는 남자를 마주하고 있었다.

"이곳의 책들은 기억을 되살리는 것이 아니라, 지우거나 흐리게 하는 역할만 합니다."

그녀의 목소리는 마치 빗물처럼 가볍게 흘렀지만, 확고했다. 김도윤은 납득할 수 없다는 듯한 표정을 지었다.

"하지만 분명히 들었습니다."

그의 목소리는 한동안 허공을 떠돌았다. 그것은 마치 존재하지 않는 무엇인가를 붙잡으려는 사람이 마지막 순간에 내뱉는 부정 같았다.

"이곳에서는 '기억을 다룰 수 있다'고요."

그의 눈동자는 한동안 허공에 멈춰 있었다. 어쩌면 그는 자신이 믿고 싶은 것을 믿으려 하고 있는지도 몰랐다. 정서아는 서서히 한숨을 내쉬었다. 서점에서 오랜 시간을 보내다 보면, 기억이란 것이 단순한 정보의 조각이 아니라는 것을 깨닫게 된다. 그것은 시간의 무게를 가진 채 살아 숨 쉬는 무엇이었다.

"그렇지만, 되찾을 수는 없습니다."

그녀는 다시 한번 단호하게 말했다. 김도윤은 한순간 그녀를 바라보았다. 그리고 천천히, 아주 천천히 시선을 내렸다. 그는 두 손을 테이블 위에 올려놓았다. 그의 손가락 끝이 조금씩 움츠러들었다. 마치 눈에 보이지 않는 것들을 더듬으며 무언가를 찾으려 하는 사람 같았다.

"나는…, 어릴 적 사고로 인해 사라진 기억이 있습니다."

그는 말을 멈추고, 깊은숨을 들이마셨다. 그리고 마치 그것이 이제야 그의 입 밖으로 나올 준비가 된 것처럼, 다시 이어갔다.

"만약 그 기억을 떠올릴 수만 있다면, 내가 왜 변호사가 되었는지도 명확해질 것 같습니다. 그리고 과거의 공백이 지금의 삶을 흔들고 있습니다."

그는 두 손을 꽉 쥐었다. 서점의 공기가 미묘하게 바뀌었다. 마치 서점 자체가 그의 말에 반응하는 것처럼 느껴졌다.

"그 기억을 찾지 못한다면, 전 내 삶을 이해할 수 없을 것 같습니다."

그의 목소리에는 더 이상 강한 확신이 없었다. 그것은 초조함이었다. 조각난 기억을 짜 맞추려는 사람이, 더 이상 자신의 삶을 온전히 감당할 수 없음을 깨닫는 순간에 찾아오는 초조함이었다.

정서아는 한동안 그를 바라보았다. 그녀는 천천히 책장을 훑었다. 그녀의 손끝이 오래된 책등을 따라가며 멈추고, 다시 흘러갔다. 그녀는 알았다. 그는 단순히 잊어버린 기억을 되찾고 싶은 것이 아니었다. 그는 사라진 시간 속에서 자신의 존재를 찾고 싶어 했다. 그러나 기억이란 것은 단순하지 않았다. 어떤 기억은 의도적으로 지워지기도 했고, 어떤 기억은 스스로 보호하기 위해 망각이라는 장치를 선택하기도 했다.

그녀는 속으로 고민했다. 이 남자를 어떻게 도울 수 있을까? 기억을 되찾지 못한다고 해도, 그가 앞으로 나아갈 수 있도록 무언가를 건넬 수 있을까? 그녀는 천천히 책장에서 손을 떼었다. 그리고 다시 김도윤을 바라보았다.

"당신이 찾고 있는 것은, 정말 잃어버린 기억인가요? 아니면, 기억을 통해 찾고 싶은 당신 자신인가요?"

그녀는 그렇게 물었다. 그리고 서점의 공기는 다시 깊은 정적 속으로 가라앉았다. 그가 어떤 선택을 하느냐에 따라, 그의 미래는 완전히 달라질 것이었다.

공기 속엔 잉크와 낡은 종이의 향기가 은은하게 퍼져 있었다. 오래된 나무 책장이 무게를 이기지 못한 듯 미세하게 삐걱거렸고, 창밖으로 스며든 빗방울이 유리창을 가만히 두드리고 있었다. 바람이 지나갈 때마다 희미한 바닐라와 먼지 냄새가 섞여 들었고, 서점 안의 공기는 마치 과거에 깊숙이 잠긴 듯 무겁게 가라앉아 있었다.

김도윤은 책장을 바라보고 있었다. 그의 손끝은 책등을 따라가면서도, 쉽사리 멈추지 않았다. 기억을 되찾는다는 것. 그것이 단순한 과거의 회복인지, 아니면 새로운 형태의 진실을 마주해야 하는 일인지 그는 알지 못했다. 정서아는 조용히 그의 앞에 섰다.

"기억을 되찾아 주는 책은 없습니다."

그녀의 목소리는 마치 한때는 존재했지만, 지금은 사라진 것처럼, 지나간 시간에 닿아 있는 듯했다.

"하지만 기억을 잃게 만드는 책은 있어요."

그녀는 천천히 책장 너머로 손을 뻗었다. 오래된 책 한 권을 꺼내 들었다. 표지는 감청색이었다. 책등은 손때에 바래있었고, 제목은 닳아 거의 알아볼 수 없었다. 김도윤은 눈썹을 살짝 찌푸렸다.

"그 말이 무슨 뜻이죠?"

정서아는 책을 천천히 내려다보았다.

"당신이 찾고 싶은 기억을 완전히 잃어버릴 위험이 있습니다."

그녀는 손끝으로 책장을 가볍게 넘겼다. 먼지가 공중에 흩날렸다.

"하지만 간혹, 잊으려 할 때 오히려 떠오르는 기억도 있어요."

그의 손이 책을 향해 뻗어졌다가 멈췄다. 김도윤은 고민했다. 그가 원하는 것은 잊는 것이 아니라 되찾는 것이었다. 그러나, 잃어야만 비로소 떠오르는 기억이 있다면? 기억이란 것이 원래부터 이렇게 역설적인 존재였다면? 그는 한숨을 내쉬었다. 어쩌면, 지금까지 그는 기억을 찾는 것이 아니라, 자신이 어떤 기억을 지워버렸는지를 찾고 있었던 것은 아닐까?

그의 손끝이 책을 스쳤다. 차가웠다. 오래된 종이의 결이 느껴졌다. 그리고 그는 결국 책을 펼쳤다. 책장을 넘기는 순간, 공기가 달라졌다. 빛이 흔들렸다. 서점의 벽이 투명해지는 것만 같았다. 무너진 것은 아니었다. 단지, 이 공간이 오랜 기억 속으로 흡수되어 가고 있었다. 눈앞의 활자가 일렁이며 의미를 만들었다. 낱말들이 가볍게 공중을 떠다녔다. 그리고 그것은 곧, 오랜 시간 망각 속에서 떠돌던 과거의 장면으로 변하기 시작했다.

비 오는 날, 창문을 두드리는 빗소리. 회색빛 골목. 오래된 가로등 불빛이 바닥에 반쯤 흩어져 있었다. 어린아이였다. 그는 낡은 신발을 신은 채, 물웅덩이 앞에 멈춰 서 있었다. 어디선가, 누군가가 그를 부르고 있었다. 하지만 목소리는 희미해졌다. 그는 뒤를 돌아봤다. 누구였을까? 그 순간, 책의 페이지가 빠르게 흩날렸다. 기억이 흘러가고 있었다. 그리고 김도윤은 책을 덮었다.

깊은숨을 내쉬었다. 공기는 다시 서점 안으로 돌아다녔다. 빛도, 책장도, 오래된 책들의 냄새도 모두 제자리를 찾았다. 그는 손끝을 가만히 내려다보았다.

“조금은…. 기억날 것 같습니다.”

그의 목소리는 여전히 낮았지만, 흔들림이 덜했다. 완전히 떠오르지는 않았다. 그러나 어딘가에서 그의 기억이 기다리고 있음을, 이제는 알 것 같았다. 정서아는 조용히 그를 바라보았다. 그리고 서점의 문을 열어주었다. 그는 마지막으로 한 번 더 서점을 둘러보았다. 그러고는 문을 열고, 사라졌다. 서점의 문이 다시 닫혔다. 정서아는 조용히 다음 손님을 기다렸다. 책장 사이에 숨겨진 또 다른 기억들이, 여전히 사람들을 기다리고 있었다.

3화. 공백의 기억

비가 내렸다. 아니, 어쩌면 내리고 있었을지도 모른다. 창밖으로 보이는 서울의 밤은 오래된 유화처럼 번져 있었다. 희미한 가로등 불빛이 젖은 보도 위에 번들거렸고, 거리를 걷는 사람들의 그림자는 아스라이 흔들렸다. 그는 유리창을 바라보며, 창에 비친 자신을 천천히 응시했다.

7년 전, 기억이 끊긴 지점. 청연 서점을 나선 후, 김도윤은 의식적으로 기억을 더듬었다. 책장을 넘기듯 하나하나 정리해 보려 했지만, 마치 일부 페이지가 찢겨 나간 것처럼 곳곳에 공백이 남아있었다.

비 오는 날, 낯선 목소리. 그리고, 어딘가의 희미한 형상이 보였다. 그는 두 손을 테이블 위에 올려놓았다. 손가락이 테이블 표면을 따라 느리게 움직였다. 마치 거기에 새겨진 나뭇결을 읽어 내려가면, 공백이 메워질 것처럼. 그러나 기억은 그렇게 쉽게 돌아오지 않았다.

그는 책에서 얻은 단서를 천천히 떠올렸다. 책장이 빠르게 넘어가던 순간, 머릿속에서 희미하게 떠오르던 장면들, 그리고 비가 내리고 있었다. 물웅덩이에 발이 잠기고, 바지 끝자락이 젖어 들었다. 머리 위로 빗방울이 떨어졌고, 한 걸음 내디딜 때마다 질척이는 감촉이 전해졌다. 공기는 습했고, 먼지와 빗물의 냄새가 섞여 있었다.

"김도윤!"

누군가가 그를 불렀다. 그러나 목소리는 선명하지 않았다. 마치 오래된 녹음테이프처럼, 부분적으로 끊어지고 중첩된 채 메아리쳤다. 그는 손가락을 이마에 가져다 댔다. 두통이 밀려왔다. 기억을 떠올리며 할수록 무언가가 방해하는 듯했다. 그 장소는 어디였을까? 그 목소리의 주인은 누구였을까? 모든 기억이 공백으로 남아

있었다.

그는 자리에 앉아 눈을 감았다. 기억이란 것은 원래부터 단순한 것이 아니었다. 한 장면을 떠올리면, 그것은 곧 수많은 감각과 감정을 동반했다. 어떤 기억은 명확했고, 어떤 기억은 희미했다. 그리고 어떤 기억은… 애초에 떠 올려서는 안 되는 것이었다. 그러나 그는 이제 선택해야 했다. 과거로부터 도망칠 것인가, 아니면 그것을 마주할 것인가. 책이 보여준 단서들은 많지 않았지만, 그는 확신했다. 이제 기억의 조각을 따라가야 한다.

그는 자리에서 일어났다. 그리고 창밖을 바라보았다. 빗방울이 여전히 도시에 떨어지고 있었다. 그는 다시 청연 서점으로 가야 할까, 아니면 자신이 떠올린 단서들을 가지고 직접 추적해야 할까. 그 선택이 그의 미래를 바꿀 것이었다.

도윤은 한동안 길 한복판에 서 있었다. 도시의 밤은 익숙한 동시에 낯설었다. 빛바랜 네온사인은 지난 세월 동안 색을 잃었고, 거리를 메우던 상점들도 하나둘 문을 닫아 다른 간판으로 대체되었다. 하지만 그럼에도 여전히 그곳은 변하지 않은 듯 보였다. 시간은 외관을 바꾸었지만, 공간에 남아있는 잔향까지 지워버릴 수는 없었나 보다.

7년 전, 그날의 기억은 여전히 공백이었다. 차가운 공기가 그의 피부를 스치고 지나갔다. 공기의 냄새 속에는 오래된 아스팔트, 희미한 담배 연기, 그리고 길가 포장마차에서 풍기는 따뜻한 국물 냄새가 뒤섞여 있었다. 그는 천천히 숨을 들이마셨다. 이곳에서 무언가를 잃었다. 그리고, 되찾아야 한다.

그러나 그가 잃어버린 것은 단순한 기억이 아니라, 기억 속에서 사라진 자신이 아닐까? 그의 발걸음이 그를 어디로 이끄는지도 모른 채, 과거의 흔적을 쫓기 시작했다.

그가 처음 찾아간 곳은 익숙한 공간이었다. 7년 전, 그는 이 거리를 매일 지나다녔다. 여기서 친구들과 만나 밤늦도록 이야기를 나누었고, 새벽이 되어서야 집으로 돌아가던 길목. 그러나 이제, 그 공간에서 과거를 기억하는 사람들은 많지 않았다. 그는 몇몇 사람들에게 물었다.

"혹시 7년 전 이곳에서 내가 어떤 일이 있었는지 기억하나요?"

사람들은 애써 기억을 떠올리려 했다. 어떤 이는 어깨를 으쓱했으며, 어떤 이는 단순한 일상적인 이야기만 늘어놓았다.

"7년 전이라… 기억이 잘 안 나네."

"너 그때 해외로 나간다고 하지 않았어?"

"아니, 너 한동안 연락 끊겼었잖아."

그는 고개를 끄덕이며 사람들의 이야기를 들었다. 그러나 아무도 그가 기억을 잃은 이유에 대해 정확히 말해주지 않았다. 그러다 마침내, 그는 한 인물을 만났다.

"7년 전?"

상대는 한동안 그의 말을 되뇌었다. 그의 오래된 친구, 혹은 가족 중 한 명이었다. 그의 표정에는 잠시 망설임이 스쳤다. 그것은 무언가를 떠올린 사람의 표정이었지만, 그 기억을 다시 말해야 하는지를 고민하는 듯했다.

"넌 그 이야기를 아예 꺼내지도 않았잖아."

그 말은 마치 도윤이 7년 동안 일부러 그 기억을 밀어냈다는 듯한 뉘앙스를 풍겼다.

"그렇다면, 그때 일은 그냥 묻어두는 게 좋을 거야."

목소리는 낮았지만, 어딘가 단호했다. 도윤은 가만히 상대를 바라보았다. 그가 단순한 우려에서 그렇게 말하는 것이 아님을 알 수 있었다. 그 눈빛 속에는 분명 무언가를 감추려는 흔적이 있었다.

"왜 묻어두어야 하나?"

도윤의 목소리는 낮았지만, 그 안에는 단호함이 서려 있었고 상대는 끝내 대답하지 않았다.

도윤은 그 자리를 떠난 후에도 계속해서 생각했다. 왜 그는 '그 때 일'이라고만 말하고, 구체적인 언급을 피하려 하는 걸까? 누군가가 그 기억을 감추려고 하는 것일까? 아니면, 그 기억을 되찾는 것이 위험하다는 걸 알고 있기 때문일까? 그는 자신의 기억을 잃은 것이 단순한 사고가 아니었을지도 모른다고 생각했다. 그렇다면, 그를 막으려는 사람은 누구일까? 그리고, 그날 무슨 일이 있었던 것일까? 비는 여전히 내리고 있었다. 도윤은 이제, 단순히 기억을 찾는 것이 아니라 진실을 밝혀야 하는 상황에 놓이게 되었다. 이제 그는 더 이상 멈출 수 없었다. 그의 발걸음은 또 다른 단서를 향해 움직이기 시작했다.

4. 시점 찾기

도윤은 다시 청연서점의 문을 열었다. 낡은 종이 울리며 서점 안을 가득 채운 공기를 흔들었다. 그는 마치 오랫동안 떠났다가 돌아온 사람처럼, 천천히 안으로 발을 디뎠다. 이곳에 처음 왔을 때와는 달랐다. 이제 그는 망설이지 않았다.

서점의 공기는 촉촉했다. 창밖으로는 빗방울이 떨어지고 있었지만, 그 빗소리는 서점 내부로 들어오지 못한 채 유리창을 가볍게 두드릴 뿐이었다. 나무 마룻바닥이 미세하게 들썩였고, 책장에서 스며 나온 먼지들이 햇빛과 어우러져 희미한 연기처럼 떠다녔다.

책을 읽기 위해서가 아니라, 잃어버린 기억을 더 이상 외면하지 않기 위해서 여기에 왔다. 그는 조용히 카운터 쪽으로 걸어갔다. 정서아는 그를 바라보며 말했다.

"이제 기억을 지우고 싶지 않으신가 보네요."

그는 단호하게 고개를 저었다.

"아니요. 저는 반드시 기억해야 합니다."

정서아는 말없이 책장에 손을 뻗었다. 그녀의 손끝이 책등을 스치며 한 권 한 권을 지나쳤다. 마치 기억을 정리해서 진열하는 것 같았다.

"기억은 책처럼 한 장 한 장 쌓이는 것이지만," 그녀가 조용히 말했다. "때로는 잃어버린 페이지가 더 많은 의미가 있기도 하지요."

도윤은 가만히 그녀의 말을 곱씹어 있었다.

잃어버린 기억이란 단순한 공백이 아니었다. 그것은 어쩌면 일부러 비워둔 공간일지도 몰랐다. 그 기억이 사라진 것이 단순한 우연일까? 아니면 누군가가 의도적으로 그 기억을 감춘 것일까? 그가 찾고 있는 것은 단순한 과거가 아니었다. 그것은 과거가 지금의 자신을 어떻게 만들었는지에 대한 해답이었다. 그렇다면, 기억을 되찾는 것이 정말 그가 원하는 것일까?

"이제 어디로 가실 건가요?"

정서아가 물었다. 목소리는 부드러워 쓰지만, 그 안에는 무언가를 예감하는 기운이 담겨 있었다. 도윤은 깊은숨을 내쉬었다.

"7년 전, 마지막 기억이 있는 곳으로요."

그의 손이 무의식적으로 주머니 속에서 주먹을 쥐었다. 긴장감이 느껴졌다. 하지만 그는 이제 도망치지 않을 생각이었다. 서점 문을 나서려는 순간, 창밖에서 바람이 불어왔다.

정서아는 그의 뒷모습을 바라보았다. 그가 찾으려는 것이 진실일까, 아니면 단순한 후회일까? 기억을 찾으려는 사람과 잊고 싶어 하는 사람, 그 둘의 차이는 무엇일까?

그러나 이제 모든 것이 그의 선택에 달려 있었다. 그가 잃어버린 기억 속에서 어떤 답을 마주하게 될지는, 오직 그 자신만이 알 수 있었다. 서점 안에서는 책장이 또 한 번 조용히 넘겨졌다.

청연서점의 불이 꺼졌다. 책장 사이로 스며들던 은은한 조명이 희미하게 사그라졌고, 창문 너머에는 검은 바다가 출렁이는 듯한 어둠이 밀려들었다. 희미하게 남아있는 가로등 불빛이 유리창을 타고 흘렀고, 그 불빛이 비치는 곳에서 나무 책장의 그림자들이 길게 늘어졌다.

정서아는 창가에 앉아 있었다. 유리창을 손끝으로 가만히 쓰다듬었다. 차가운 표면이 손끝에 닿을 때마다, 그녀의 의식은 현재와 과거를 넘나들었다. 그녀는 기억을 되찾겠다고 했던 김도윤의 모습을 떠올렸다.

그의 단호한 목소리, 반드시 기억해야 한다고 말하던 표정, 그리고 기억을 찾기 위해 책을 넘길 때의 조심스러운 손끝이 생각이 났다.

그러나 서아는 알고 있었다. 기억을 되찾는 것은 단순한 일이 아니라는 것을, 기억이란 잃어버렸을 때보다 되찾았을 때 더 잔혹해질 수도 있다는 것을, 과거에도 한 사람이 기억을 되찾고 싶어 한 적이 있었다.

그때 그녀는 서점의 힘을 빌려 그를 도우려 했다. 책을 통해 기억을 되찾게 해주었다. 그러나 결과는… 그녀가 예상했던 것과는 너무나도 달랐다.

그 남자는, 처음엔 기뻐했다. 기억을 하나둘 맞춰가면서, 자신이 누구였는지를 깨달아 가면서. 하지만 그것도 잠시, 되찾은 기억의 무게는 너무나 무거웠다.

기억이란 단순히 사라졌던 조각을 되찾는 것이 아니었다. 그 속에는 잊으려 했던 감정도, 자신을 스스로 보호하기 위해 지워버렸던 고통도 함께 따라왔다.

그는 오랫동안 묻어두었던 진실과 마주해야 했다. 그리고 그는 그것을 감당할 수 없었다. 그의 삶은 무너졌다. 기억은 단순한 정보가 아니었다. 그것은 인생을 다시 쌓아 올리는 뼈대였다. 그가 떠난 후, 그녀는 오랫동안 서점 안에서 가만히 앉아 있었다.

그날 밤, 서점에는 이상한 기운이 감돌았다. 책장은 한 장 한 장 스스로 넘겨졌고, 책 사이로 스며들던 바람은 마치 숨죽인 듯 조용해졌다. 그때 그녀는 깨달았다. 이 서점은 기억을 되찾게 해줄 수는 있지만, 그것을 받아들이는 것은 온전히 기억을 되찾는 사람의 몫이라는 것을 알았다.

그녀는 그날 이후, 기억을 되찾아 주려는 시도를 하지 않기로 결심했다. 기억을 찾으려는 사람은 많았지만, 그것을 받아들일 수 있는 사람은 많지 않았다. 때때로 사람들은 잃어버린 기억을 그저 미화된 형태로만 상상할 뿐이었다. 그러나 기억은 항상 아름답지만

은 않았다.

어떤 기억은 남아야 하고, 어떤 기억은 사라져야 한다. 그것이 서점이 존재하는 이유였다. 그녀는 다시 창밖을 바라보았다.

비가 내리고 있었다. 창문에 떨어지는 빗방울은 마치 사라진 기억의 조각들처럼 반짝였다. 김도윤은 과연 자신이 원하는 기억을 찾을 수 있을까? 그가 기억을 되찾았을 때, 그것을 감당할 수 있을까?

그녀는 내리는 비를 보면서 그를 생각하다가, 서점 안을 천천히 바라보았다. 책장 사이에는 여전히 무수한 기억들이 기다리고 있었다.

그리고 그 기억 중 어느 하나는, 누군가에게 되찾아야 할 것인지, 아니면 잊어야 할 것인지의 선택을 요구할 것이었다. 서점 안의 공기가 한층 무거워졌다. 정서아는 천천히 숨을 들이마셨다. 다시 한번, 책장의 페이지가 저절로 넘겨졌다. 그리고 서점은 또 한 사람의 선택을 기다리고 있었다.

5, 서아의 고민

청연서점의 책들은 단순한 종이 묶음이 아니었다. 책장에 가만히 놓여 있는 듯 보였지만, 사실 그것들은 스스로 살아 있는 존재였다. 기억을 흡수하고, 조용히 기다렸다. 어떤 이의 손이 닿기를, 그 기억이 다시 누군가의 것이 되기를 바랐다.

책의 페이지를 넘기는 순간, 시간은 흐르기를 멈추고 공기가 바뀌었다. 활자 속에 새겨진 과거는 살아 있는 듯 독자의 의식 속으로 스며들었고, 때때로 독자는 그것을 감당할 준비가 되어 있지 않았다.

기억을 되찾는다는 것은 단순히 잊힌 장면을 다시 떠올리는 것이 아니었다. 그것은 사라졌던 고통, 마주하고 싶지 않았던 진실까지도 다시 되살리는 일이었다.

그리고 기억을 지우는 것이 단순한 망각이 아니듯, 되찾는 것도 단순한 회복이 아니었다. 기억을 지우고 싶어 하는 사람들은 이유가 있었다. 때로는 기억이 사라지는 것이 더 나은 선택일 수도 있었다.

과거에서 서아는 한 사람을 도운 적이 있었다. 그는 간절했다. 기억을 되찾고 싶다고 했다. 잃어버린 시간의 공백이 너무도 두렵다고 했다.

그는 청연서점의 능력에 의지했고, 서아는 그의 기억을 되찾아 주기로 했다. 그날 밤, 서점은 조용했다. 책장을 펼치는 순간, 그의 눈빛이 흔들렸다. 처음엔 희미하게, 그리고 점점 선명하게. 기억은 마치 밀려오는 파도처럼 그를 집어삼켰다. 그리고 그는… 무너졌다.

그가 되찾은 기억 속에는, 그가 감당할 수 없는 것들이 있었다.

과거의 죄책감, 그가 저지른 실수, 그리고 지워버린 이유조차 기억하지 못했던 감정들이 한꺼번에 쏟아져 나왔다. 그는 결국 그 기억과 함께 살아갈 수 없었다.

기억을 되찾고 또, 그는 서점에서 사라졌다. 아니, 기억이 그를 파괴했다. 그날 이후, 서아는 기억을 되찾아 주려는 시도를 하지 않기로 결심했다. 서점이 주는 능력에는 대가가 따랐다. 그리고 그 대가는, 사람에 따라 너무나도 가혹했다.

김도윤은 이제 기억을 찾으려 하고 있었다. 하지만 그는 그 대가를 충분히 알고 있는 걸까? 그가 잃어버린 기억 속에, 어떤 비밀이 숨어 있는지 알지 못한 채, 그가 과거를 받아들일 준비가 되어 있는 걸까?

서아는 조용히 서점 안을 바라보았다. 책들은 여전히 침묵하고 있었다. 하지만 그녀는 알았다. 책은 항상 진실을 알고 있었고, 사람들은 그 진실을 원하는 듯 말하면서도 정작 그것을 받아들일 준비는 되어 있지 않다는 것을 말이다.

기억은 단순한 정보가 아니었다. 그것은 사람을 바꾸고, 삶을 뒤흔들고, 때로는 존재 자체를 송두리째 흔들어 놓을 수도 있는 것이었다.

그러나 김도윤은 그걸 모른다. 그는 단지, 기억을 되찾으면 모든 것이 명확해질 것이라 믿고 있을 뿐이었다. 그가 서점의 문을 열었을 때, 과연 어떤 진실을 마주하게 될까?

서아는 깊은숨을 내쉬며 책장을 바라보았다. 그 순간, 바람이 불었고, 한 권의 책이 조용히 넘겨졌다. 서점은 이제, 또 한 번 누군가의 기억을 맞이하려 하고 있었다.

서점의 문이 열렸다. 차가운 밤공기가 문틈을 비집고 들어왔다. 빗방울이 희미하게 묻은 회색 코트, 손끝까지 굳어진 듯한 표정,

그리고 여전히 공허하게 흔들리는 눈동자는 책을 갈망하고 있었다.
김도윤이 다시 돌아왔다. 정서아는 그를 보며 아무 말 없이 서 있었다. 그녀는 이 장면을 예상하였다. 그가 다시 돌아올 거라고, 기억의 단서를 좇다가 결국 이곳으로 돌아올 수밖에 없으리라는 것을 이미 알고 있었다.
그러나 그녀는 이 사실도 알고 있었다. 어떤 기억은 다시 떠올려선 안 된다는 것을 말이다. 그가 찾고 있는 기억은 그가 원하는 답을 줄까? 아니면, 그를 더욱 깊은 혼란 속으로 빠뜨릴까? 그녀는 망설였다.
"도와주십시오."
그의 목소리는 낮고 처절했다. 더 이상 흔들리지 않는 것 같았다. 아니, 어쩌면 너무나도 흔들려서 오히려 단단해진 것일지도 몰랐다. 정서아는 천천히 숨을 들이마셨다.

그녀는 예전에 한 사람을 도왔었다. 그 역시 기억을 찾고 싶어 했다. 아니, 기억을 되찾아야만 했다. 기억을 되찾고 나면 모든 것이 해결될 것이라 믿었다. 그 역시 이 서점에 앉아, 간절한 눈빛으로 책장을 넘겼다.
그러나 기억은 생각보다 가혹했다. 되찾은 기억 속에서 그는 과거의 자신을 보았고, 그 기억은 그가 감당할 수 없는 진실이었다.
결국 그는 무너졌다. 서점의 문을 나서지 못한 채, 마치 길을 잃은 사람처럼 책장 사이에서 머뭇거렸다. 기억을 찾은 것이 아니라, 오히려 더 큰 공허 속에 빠져버렸다. 그리고 그는 사라졌다.
그날 이후, 정서아는 다시는 기억을 되찾아 주는 일을 하지 않기로 결심했다. 하지만 지금, 김도윤이 그녀 앞에 다시 서 있었다. 그녀는 고민했다. 그를 도와야 할까?
만약 또 한 번 실패한다면? 그가 감당하지 못할 기억이라면? 그러나 그녀의 마음 한편에는 다른 감정이 꿈틀거렸다.

과거의 실패를 극복하고 싶다는 마음, 이번에는 다를 거라는 희망, 어쩌면 이번에는…

정서아는 천천히 책장을 훑었다. 어둠 속에서도 책들은 차분히 제자리를 지키고 있었다. 마치 그녀의 결정을 기다리기라도 하듯이, 그녀는 김도윤을 바라보았다.

"정말 기억을 찾고 싶습니까?"

"네."

그의 대답은 망설임이 없었다. 정서아는 깊은숨을 들이마시며 책을 펼쳤다. 이번에는 다를까? 서점 안이 조용해졌다. 바람이 스쳐지나갔고, 책장이 조용히 넘겨졌다. 밤은 깊어져 가고, 서점은 또 다른 기억을 품었다.

6화. 서점의 규칙

'청연서점'에는 단 하나의 법칙이 있다. 책을 선택하면 기억이 사라지거나 흐려진다. 어떤 기억은 완전히 소멸하고, 어떤 기억은 형태를 잃은 채 흐릿한 잔상으로 남는다. 하지만 변하지 않는 것은 단 하나, 사라진 기억은 다시 찾을 수 없었다.

책장을 넘기는 순간, 기억은 조용히 뒤섞였다. 문장을 따라 시선을 움직일 때마다 머릿속 어딘가에서 연결고리가 끊어졌다.

그리고 손님들은 그것을 원했다. 어떤 이는 고통을 지우기 위해, 어떤 이는 한때의 실수를 덮기 위해, 어떤 이는 사랑을, 또 어떤 이는 미움을 지우기 위해 이곳을 찾는다.

그러나 책이 그들에게 무엇을 남길지는, 아무도 알 수 없다. 서점의 책들은 인간의 기억과 의식을 조작하는 힘을 가지고 있었다. 그러나 그 이유를 아는 사람은 아무도 없었다.

책장 사이를 거니는 손님들은 마치 자신의 과거를 거래하는 사람들 같았다. 그들은 신중하게 책을 고르며 망설였다. 책을 펼쳐야 하는지, 아니면 마지막 순간에 손을 거두어야 하는지. 하지만 결국, 선택하는 것은 그들 자신이었다.

그들이 책을 읽는 순간, 과거는 수정된다. 어떤 사람은 잊고 싶던 상처를 지우고 평온한 얼굴로 서점을 나선다. 어떤 사람은 한참을 망설이다가 결국 책을 덮고, 떠나간다.

그리고 어떤 사람은 기억을 잃은 채, 다시는 자신이 서점을 찾았던 사실조차 기억하지 못한다. 그들은 원했던 것을 얻었지만, 그 대가가 무엇이었는지는 몰랐다. 서점은 조용히 그들의 선택을 받아들일 뿐이었다.

정서아는 이 법칙을 알고 있었다. 그녀는 모든 손님이 선택하는 순간, 어떤 일이 벌어지는지 알고 있었다. 그들이 기억을 바꾸는 순간, 그들의 삶이 어떤 식으로 달라지는지.

하지만 그녀는 그들에게 그 사실을 말하지 않는다. 왜냐하면, 선택의 책임은 손님들에게 있기 때문이다. 기억을 바꾸는 일은 단순한 망각이 아니다. 그것은 삶의 일부를 도려내는 일이자, 존재의 일부를 새롭게 만들어 내는 일이었다. 그러나 그 대가를 온전히 아는 사람은 없다.

그런데도, 사람들은 계속해서 서점을 찾는다. 그리고 그들은 자신의 과거를, 혹은 미래를, 한 권의 책 속에 던진다.

책장 위에는 수백 권의 책이 놓여 있었다. 어떤 책은 누렇게 바랜 종이로 가득 차 있었고, 어떤 책은 가벼운 먼지를 품은 채 조용히 숨을 죽이고 있었다. 책을 고르는 손님들의 손끝이 떨렸다. 그들은 책을 펼치기 전까지, 이곳이 단순한 서점이 아니라는 사실을 깨닫지 못한다. 그러나, 선택한 후에는 돌이킬 수 없다. 사라진 기억은 되찾을 수 없고, 변형된 기억은 영원히 원래대로 돌아오지 않는다. 그리고, 그 순간에도 서점은 조용히, 다음 손님을 기다리고 있었다.

소문은 바람처럼 산화했다. 청연서점에는 단 하나, 사라진 기억을 되돌릴 수 있는 책이 존재한다는 전설 같은 이야기가 천리마를 타고 사람들의 귀 사이를 달린다.

그 책을 손에 넣으면 지워진 기억이 되살아나고, 흐릿해진 과거가 다시 선명해진다고 했다. 책이 모든 것을 기억하고 있으며, 그 안에는 잃어버린 시간의 흔적이 고스란히 남아있다고도 했다.

그러나 그 책을 본 사람은 없었다. 어떤 이는 그것이 서점 어딘가 깊숙이 감춰져 있을 거라고 믿었고, 어떤 이는 애초에 존재하지 않는 허상이라고 했다.

하지만 사람들은 여전히 찾아왔다. 그들은 기억을 지우고 싶어 하면서도, 되찾고 싶어 했다. 망각을 원하면서도, 동시에 진실을 원했다. 그리고 그들은 정서아에게 묻기 시작했다.

"기억을 되찾을 수 있는 책이 있다고 들었습니다."

낯선 손님이 목소리는 낮았고 조용히 물었다. 그 속에는 간절함이 묻어 있었다. 정서아는 책장에서 먼지를 털어내며 천천히 손님의 얼굴을 바라보았다.

"그런 책이 있다는 이야기를 어디서 들으셨나요?"

"서점을 다녀간 사람들이 말했습니다. 어떤 책은 기억을 지우고, 어떤 책은 기억을 흐리게 하지만, 단 하나의 책은 기억을 되살린다고요."

정서아는 순간 아무런 대답도 하지 않았다. 그녀도 알고 있었다. 오래전부터, 이 소문은 있었다. 기억을 지우는 서점이지만, 단 하나의 책만은 기억을 되돌린다는 전설 말이다.

그러나 그녀는 그 책을 본 적이 없었다. 그녀가 기억하는 한, 책이 기억을 지울 뿐 되살린 적은 없었다. 과거에도 몇몇 손님들이 그 책을 찾으려 했지만, 결국 아무도 발견하지 못했다.

그렇다면, 그 책은 서점 어딘가에 감춰져 있는 것일까?

아니면 애초부터 존재하지 않는 허상일까?

기억을 되찾을 수 있는 책이 있다면,

과거를 잃어버린 사람들은 어떤 선택을 할까?

기억을 되찾는 것이 모든 것을 해결해 줄까?

그녀는 창밖을 바라보았다. 바람이 불고, 거리에는 사라져간 계절의 흔적이 남아있었다. 그리고 그녀는 어쩌면, 그 책이 실제로 존재하는지 모른다는 사실을 인정해야 한다고 생각했다.

혹시 정말로, 그 책이 존재하는 걸까?

그리고, 만약 그렇다면 그 책을 손에 넣은 사람은 어떤 기억을 되찾게 될까? 밤이 깊어져 가고, 서점은 또 다른 기억을 품었다.

"그 책이 정말 존재하는 거죠?"
김도윤의 목소리는 간절함으로 갑옷을 입었다. 서점 안은 조용했다. 책장은 여전히 책을 품고 있었고, 빛은 흐릿하게 창을 타고 스며들어 있었다. 창밖의 밤공기가 서점 안까지 들어오며 책장 틈 사이에서 가벼운 먼지가 마실 나들이하고 있었다.
정서아는 그의 눈빛을 바라보았다. 그는 이미 단서를 쥔 사람처럼 보였다. 확신하고 있었다. 하지만 그녀는 천천히 고개를 저었다.
"내가 아는 한, 그런 책은 없어요."
그녀의 목소리는 밝고 상냥했지만, 자신도 그 말이 완벽한 진실인지 확신할 수 없었다. 소문이 퍼지면서 많은 사람이 그 책을 찾으러 왔다. 기억을 되찾을 수 있다는 전설의 책을 말이다. 한 번 사라진 기억을 되돌려준다는 단 하나의 유일한 책이었다. 그러나 아무도 그 책을 발견하지 못했다. 존재하지 않는다면, 왜 사람들은 계속해서 그 책을 찾는 걸까?
"그 책이 없다면…"
김도윤은 한숨을 쉬며 고개를 숙였다. 그러나 그는 여전히 포기할 생각이 없어 보였다.
그는 조용히 서가 사이로 걸어갔다. 마치 무언가를 찾겠다는 듯이, 손끝을 책장 위에 스치며. 책등을 하나씩 훑어가며 그는 천천히 책장을 살폈다.
그녀는 그를 막지 않았다. 책장 사이를 걷는 그의 움직임은 조용했지만, 거기에는 일종의 불안이 깃들어 있었다.
기억을 찾는 것이 과연 좋은 일일까? 그가 잃어버린 기억이 정말 그가 원하던 것일까? 그녀는 알고 있었다.
어떤 기억은 지워졌기 때문에 존재하는 것이다. 기억이 사라진다는 것은 단순한 망각이 아니다. 그것은 사람의 일부가 변하는 것이며, 어쩌면 새로운 자신이 만들어지는 과정일 수도 있다.

그러나 되찾는다는 것은? 기억을 되찾는다는 것은, 잊어야만 했던 것까지도 다시 마주해야 한다는 뜻이다. 그는 정말 그것을 감당할 수 있을까?

서점은 언제나 조용했지만, 지금은 유난히 무거운 정적이 감돌았다. 그리고 그 순간,

책장 속 어딘가에서 가벼운 먼지가 일었다. 한 권의 책이 살짝 기울어졌다. 책장 사이로 스며들던 희미한 바람이 그 책의 페이지를 살짝 밀어내는 듯했다.

그리고 책이 천천히 떨어지려 했다. 정서아는 순간적으로 시선을 돌렸다. 그 책은?

그녀는 숨을 멈추었다. 책이 천천히, 너무나도 조용히, 마치 스스로 선택되기를 기다렸던 것처럼 움직였다.

그 책이 정말 소문의 책일까?

아니면, 단순한 착각일까?

서점의 규칙이 흔들리고 있었다. 기억을 둘러싼 서점의 법칙이, 서서히 변하고 있었다.

7화. 기억을 되찾기

서점은 조용했다. 하지만 그 조용한 속에서 무언가가 일어나고 있었다. 김도윤은 손끝으로 책등을 훑으며 천천히 움직였다. 나무 장식이 덧대어진 책장은 오래된 시간 속에서 먼지를 머금고 있었고, 책 사이로 스며든 희미한 빛이 바닥에 길고 가느다란 그림자를 드리웠다.

그는 이미 알고 그 책이 자신을 기다리고 있다는 사실을 말이다. 손가락 끝에 닿는 감촉이 달랐다. 다른 책들과는 온도가 조금 더 낮은 듯한 표지, 손끝을 살짝 간지럽히는 바랜 종이의 표면이 친숙했다.

그는 본능적으로 손을 뻗었다. 책등에는 금빛으로 새겨진 글자가 희미하게 남아있었다. 익숙하지 않은 제목이었다. 하지만 낯설지 않았다. 어디선가 본 적이 있다. 그러나 기억나지 않았다.

책을 펼치는 순간, 공기가 바뀌었다. 종이가 부드럽게 펼쳐지는 소리. 그 속에 담긴 문장들이 흔들렸다. 책장 사이를 맴돌던 먼지들은 희미한 빛에 반짝였다.

김도윤은 한 줄 한 줄을 따라갔다. 그 순간, 단어들이 움직이기 시작했다. 그것은 단순한 활자가 아니었다. 눈앞에서 문장들이 일렁이며 바람에 흔들리는 물결처럼 떨렸다.

한 문장을 읽고 나면, 그것이 마치 기억의 조각처럼 머릿속 어딘가에서 부유했다.

비가 내리고 있었다.

누군가가 서 있었다.

멀리서 부르는 소리.

그는 책을 덮었다. 그리고 깊은숨을 들이마셨다. 하지만 기억은 조각조각 흩어져 있었다. 그것은 연결되지 않는 이미지였다.

끊어진 필름 조각처럼 어렴풋이 떠오르지만, 흐름을 잃어버린 이야기였다. 비. 흐릿한 형체, 그리고 자신의 이름을 부르던 누군가의 목소리.

그러나 그는 알 수 없었다. 누가 그를 불렀는지. 그가 왜 그곳에 있었는지. 그는 책장을 다시 펼쳤다.

그 순간, 서점의 바람이 희미하게 흔들렸다. 어디선가, 아주 오래전부터 잠들어 있던 기억이 깨어나려는 듯했다. 이 기억을 되찾아야 하는가, 아니면 다시 덮어야 하는가. 그는 아직, 그 답을 찾지 못하고 있었다.

책장을 넘길 때마다 활자들이 흔들렸다. 김도윤은 몇 번이고 눈을 깜박이며 활자를 따라가려 했지만, 글자들은 마치 물속에 가라앉은 듯 흐릿하게 출렁였다. 문장이 그의 머릿속에 박히기도 전에 사라지고, 기억 저편에서 무언가가 떠오르는 듯하다가 다시 가라앉았다.

그는 책을 손에 꼭 쥐었다. 비가 내리고 있었다. 거리는 젖어 있었고, 바닥의 웅덩이에 반사된 불빛이 그의 발목을 휘감았다. 누군가 그를 부르고 있었다.

“도윤아.”

귀에 익은 목소리, 그는 천천히 고개를 돌렸다. 그러나 그곳에는 모르는 얼굴이 서 있었다. 그는 숨을 들이마셨다.

‘어째서?’

그 목소리는 분명 익숙했는데, 저 얼굴은 생전 처음 보는 사람이었다. 기억 속의 장면이 다시 재생됐다. 비 오는 거리, 젖은 돌바닥, 그리고 자신을 부르는 목소리. 이번에는 그의 어머니였다. 아니, 어머니가 맞을까? 하지만 그 목소리가 맞을까? 그는 한 번도 의심해 본 적 없던 기억의 조각을 다시 들여다보았다. 그리고 깨달았다. 그 목소리는 어머니의 것이 아니었다.

김도윤은 책을 덮었다. 식은땀이 등줄기를 타고 흘러내렸다. 숨이 가빠졌다. 이건 이상했다. 기억이 떠오르는 것이 아니라, 마치 새롭게 쓰이고 있는 것 같았다.

기억은 원래 이토록 유동적인 것이었나? 그는 책을 다시 펼쳤다. 그 안에 무엇이 적혀 있는지 확인해야 했다. 그런데, 글자가 변해 있었다. 처음 읽었을 때와는 달랐다. 문장이 미묘하게 다르게 쓰여 있었고, 문맥도 바뀌어 있었다.

그의 뇌리가 짜릿하게 얼얼해졌다. 이것이 무엇을 의미하는 걸까? 그가 기억을 되찾고 있는 것이 아니라, 그 기억이 조작되고 있다는 뜻일까? 그는 떨리는 손으로 다시 페이지를 넘겼다.

책은 계속해서 이상한 장면을 보여주었다. 비 오는 거리, 어머니의 목소리, 모르는 얼굴. 그것은 끊임없이 반복되면서도 미묘하게 달라지고 있었다. 그는 책장을 덮고 자리에서 벌떡 일어났다.

"뭔가 잘못됐어."

숨이 거칠게 몰아 쉬워졌다. 머릿속에서 기억들이 서로 충돌하고 있었다. 그가 떠올린 것이 진실일까? 아니면 그가 보고 있는 책이 그의 기억을 조작하고 있는 걸까? 더 이상 알 수 없었다.

그는 책을 내려놓고 두 손으로 얼굴을 감쌌다.

이대로 계속 읽어야 할까?

아니면 지금 멈춰야 할까?

서점은 조용했다. 책장은 그대로 서 있었고, 공기도 변함없었다. 그러나, 김도윤은 느낄 수 있었다. 무언가가 바뀌고 있다.

그는 숨을 깊이 들이마셨다. 이제 되돌아갈 수 없었다. 그는 기억을 찾기 위해 이곳에 왔고, 이미 첫걸음을 내디뎠다. 그리고 기억이란, 한 번 열리면 다시 닫을 수 없는 것이었다. 그렇다면, 그는 끝까지 가야 했다.

그는 다시 책을 펼쳤다. 기억 속에서, 빗소리가 점점 더 커지고 있었다.

책장에 꽂힌 책들은 여전히 제자리를 지키고 있었다. 하지만 김도윤의 눈에는 그것들이 마치 살아 있는 것처럼 보였다. 책등에 새겨진 제목들이 번져갔다가 다시 선명해지기를 반복했다. 책 속에서 무엇인가가 스며 나와 공기 중에 퍼지는 것만 같았다.

그는 심호흡했다. 두 눈을 감았다가 떴다. 그러나 세계는 여전히 어딘가 이상했다.

그가 떠올린 기억들은 처음엔 선명했다.

그러나 하나하나 조각을 맞춰갈수록, 그 기억들이 자신이 알고 있던 것과 다를 수 있다는 의심이 피어올랐다. 기억은 본래 그렇게 쉽게 변하는 것이었나? 아니면 원래부터 그가 믿어온 것들이 거짓이었던 것일까?

그는 깊이 숨을 들이마셨다. 숨이 차올랐다. 서점의 공기가, 너무나 낯설었다.

정서아는 조용히 그를 바라보았다. 그리고 마침내, 침묵을 깼다.

"책은 당신이 원하던 것을 보여주지 않아요."

그녀의 목소리는 낮고 차분했다. 바람이 없는 서점 안에서, 그녀의 말은 무겁게 떨어졌다.

"대신, 당신이 기억 속에서 보지 못했던 것들을 떠올리게 할 뿐이죠."

김도윤은 그녀를 바라보았다. 그녀의 말은 무엇을 의미하는가? 책은 기억을 되찾아 주는 것이 아니라, 기억 속에서 그가 스스로 보지 못했던 것들을 드러내는 것일 뿐이라면? 그가 기억을 잃어버린 것이 아니라, 기억이 자신을 감추고 있던 것이라면?
그렇다면! 그가 지금까지 믿어왔던 것들은 과연 무엇이었을까? 그가 떠올린 것 중, 진실은 무엇이고 거짓은 무엇일까?

김도윤은 책을 내려놓았다. 손끝이 약간 떨렸다. 어쩌면 그는 자신이 찾던 기억을 찾지 못할지도 모른다. 아니, 어쩌면 기억을 되찾는다는 것이 애초에 불가능한 일인지도 모른다. 그가 알고 있는 것이 거짓이라면, 그는 대체 무엇을 되찾으려 하는가? 하지만 그는 알고 있었다.
이제 후퇴할 수 없다. 그가 멈춘다면, 그가 기억을 더듬기를 포기한다면, 그는 더 이상 자신이 누구인지도 알 수 없게 될 것이다.
그는 다시 책장을 펼쳤다. 이번에는, 두려움 없이. 이번에는, 기억을 마주할 준비가 된 상태로. 그리고 그 순간, 책 속에서, 잊힌 시간이 천천히 깨어나기 시작했다.

8화. 특별한 책

책장을 넘길수록, 서점의 공기는 점점 더 묘하게 변해갔다. 김도윤은 무언가에 이끌리듯 발걸음을 옮겼다. 처음에는 단순한 호기심이었다.

그러나 지금, 그가 느끼는 것은 단순한 호기심이 아니었다. 서점의 안쪽, 손님들의 시선이 닿지 않는 깊숙한 곳, 책장과 책장 사이, 바람이 스쳐 지나가는 듯한 미묘한 틈, 그곳에는 무언가가 존재했다.

그는 무심코 손을 뻗었다. 손가락 끝이 책장 안쪽의 차가운 틈을 스쳤다. 그리고, 문이 열렸다.

서고 안은 예상보다 협소했지만, 공기는 바깥보다 훨씬 더 무거웠다. 책들은 오랜 세월을 견딘 듯 빛을 거의 잃어가고 있었다. 일부는 표지가 바스러질 듯했고, 일부는 손길을 닿자마자 먼지를 흩뿌렸다.

하지만 그중에서도, 단 하나. 분명히 자신을 부르고 있는 책이 있었다. 그는 그것을 찾기 위해 애쓰지 않았다.

그저 책장 속으로 시선을 옮긴 순간, 마치 책이 스스로 그에게 자신을 드러내기라도 한 듯, 그곳에 있었다.

오래된 가죽 표지, 세월에 씻긴 흔적. 제목조차 희미하게 사라진 책, 그것은 마치 한 번도 읽힌 적이 없는 책처럼, 하지만 동시에 수백 년간 누군가의 손을 거쳐온 것처럼 보였다. 그는 천천히 책을 집어 들었다.

책을 드는 순간, 손끝에서부터 차가운 감촉이 전해졌다. 마치 단순한 종이가 아니라, 살아 있는 무언가를 손에 쥔 듯한 느낌이었다.

그가 심호흡하려는 순간, 바람이 불었다. 서고 안은 바람이 들지 않는 공간이었다.

그러나 분명, 그의 귓가를 스쳐 지나가는 바람이 있었다.

그 바람 속에서, 누군가의 목소리가 들리는 것 같았다.

"찾았다."

순간, 그의 심장이 빠르게 뛰기 시작했다. 기억일까? 아니면 단순한 환상일까? 책을 열어야 한다. 아니, 열어서는 안 된다. 그의 머릿속에서, 두 개의 생각이 동시에 충돌했다. 그리고 그 순간 단호한 명령이 떨어졌다.

"그 책을 열지 마요."

그는 흠칫하며 고개를 들었다. 정서아가 서 있었다. 그녀는 차분한 얼굴이었지만, 그의 손을 똑바로 바라보고 있었다. 그리고, 그녀의 눈빛 속에는 분명한 경고가 담겨 있었다.

"그 책은, 원래 있으면 안 되는 책이에요."

김도윤은 그녀를 바라보았다. 그녀의 말은 의미를 알 수 없었지만, 어쩐지 지금까지 느껴본 적 없는 두려움이 가슴 속에서 꿈틀거렸다.

그 책은, 정말 무엇일까? 이 책이 기억을 되찾아 줄까? 아니면, 기억을 더 깊이 왜곡할까? 책을 계속 쥐고 있어야 할까? 아니면, 그녀의 말대로 다시 놓아야 할까?

선택의 순간이 다가오고 있었다. 그리고, 그가 어떤 선택을 하든 그의 기억은 이제, 되돌릴 수 없는 길로 접어들고 있었다.

"그 책을 원래 자리로 돌려놔."

정서아의 목소리는 낮고 단호했다. 김도윤은 손에 들고 있던 책을 내려다보았다. 그것은 여전히 차가웠다. 어쩌면 단순한 감각적 착각일 수도 있었다.

하지만 손끝에서 느껴지는 감촉은 종이가 아니라 마치 무언가가 살아 있는 것처럼, 그의 체온을 흡수하며 천천히 숨을 쉬고 있는 듯했다. 그는 책을 놓지 않은 채로 고개를 들었다.

"왜 금지된 책이죠?"

정서아는 아무런 말도 하지 않았다. 잠시 눈을 감은 그녀는 깊은숨을 들이마셨다. 그녀의 표정에는 단순한 경고가 아닌, 무언가를 이미 겪은 사람만이 가질 수 있는 묵직한 그림자가 드리워져 있었다. 그녀는 마침내 입을 열었다.

"그 책을 열면 반드시 대가를 치르게 돼."

책을 쥔 도윤의 손끝이 미세하게 떨렸다.

"대가라니… 무슨 뜻이죠?"

정서아는 조용히 그를 바라보았다. 그리고 서서히 시선을 서고 안쪽으로 돌렸다.

"과거에도 몇몇 손님들이 이 책을 찾으려 했어."

그녀의 목소리는 공기 속에 스며들 듯 나지막했다. 그녀의 시선이 머문 곳은 오래된 책장, 그리고 그 틈 사이로 희미하게 남아있는 누군가의 흔적이었다.

"그들 중 일부는 기억을 되찾았어. 하지만…"

그녀는 잠시 말을 멈췄다. 한순간 목구멍에 걸린 기억이, 그녀의 말을 더디게 만들었다.

"그들은 원하지 않는 진실과 마주하게 됐어요."

"진실이면 좋은 것 아닌가요?"

김도윤의 목소리는 낮았지만, 그의 속에서는 복잡한 감정들이 엉켜 있었다. 그가 찾고 있는 기억은 단순한 흥미가 아니라, 그의 삶에서 사라진 어떤 중요한 조각이었다.

그 조각이 사라진 이유를 알지 못한다면, 그는 지금껏 살아온 모든 것이 불완전한 상태로 남아있는 것과 다름없었다.

"기억을 되찾는다는 건 단순히 잃어버린 퍼즐을 맞추는 게 아니야."

정서아는 책장을 바라보았다.

"때로는 우리가 잊고 싶어 했던 이유가 있기에, 잃어버린 기억이 존재하는 거예요."

도윤은 말없이 책을 바라보았다. 그의 눈동자에는 아직 결정되지 않은 수많은 갈림길이 있었다. 그가 잃어버린 기억은 무엇이었을까? 그리고 그것을 되찾는 순간, 무엇을 감당해야 할까?

"내가 감당할 수 있을까요?"

그의 목소리는 차분했지만, 그 안에는 절대 단순하지 않은 질문이 담겨 있었다. 정서아는 한동안 침묵했다.

책 속에 담긴 기억을 읽은 사람들이 남긴 흔적, 그들이 떠난 후 남겨진 공허함, 그리고 그 기억이 만든 무거운 파장들이 조용히 요동치고 있었다. 그녀는 조용히 대답했다.

"그건 당신이 결정할 일이에요."

서점 안에는 오직 바람 소리만이 남아있었다. 책은 여전히 그의 손에 있었다. 그는 책장을 넘길 수도 있었고, 책을 내려놓을 수도 있었다.

그러나 어떤 선택을 하든, 그 순간부터 그는 이전의 자신으로 돌아갈 수 없다는 사실만큼은 명확했다.

그리고 김도윤은, 천천히, 책을 가슴 가까이 끌어안았다. 기억을 되찾기 위해. 혹은, 그 기억이 말해줄 진실이 무엇이든 간에.

김도윤은 책을 들고 있었다. 어쩌면 너무 오래 붙잡고 있었을지도 몰랐다. 손끝에 느껴지는 가죽의 감촉이 더 이상 단순한 물질로만 다가오지 않았다. 책은 고요했지만, 어쩐지 그것이 살아 숨 쉬고 있는 것처럼 느껴졌다.

책등을 따라 엄지손가락을 미끄러뜨릴 때마다, 가죽의 미세한 결이 피부에 스쳤다. 시간의 무게가, 기억의 잔재가, 손끝에서 서서히 전해졌다.

책장을 펼친다면. 그는 기억을 되찾을 수도 있었다. 그러나, 그 기억이 자신이 감당할 수 없는 것이라면? 그는 과거를 되찾고 싶었다. 그러나 진실을 마주했을 때, 그가 할 수 있는 것은 무엇일까? 마음이 갈라졌다. 되찾을 것인가? 포기할 것인가?

정서아는 조용히 그를 바라보고 있었다. 그녀의 눈동자는 흔들리지 않았다. 그녀는 그가 어떤 결정을 내리든지, 그가 직접 선택해야 한다는 것을 알고 있었다. 그녀는 묻지도 않았다. 그녀는 그를 재촉하지도 않았다. 오직 한 마디만.

"책은 네 선택을 기다리고 있을 뿐이야."

그녀의 목소리는 깊은 공기 속에서 천천히 퍼졌다. 그 말이 마치 책 속에 새겨진 문장처럼 그의 귓가에 맴돌았다.

"책은 기다리고 있다."

그가 열기를 원한다면, 그것은 자신을 보여줄 것이다. 그가 피하고자 한다면, 그 기억은 영원히 묻힐 것이다. 책은 이미 그의 손에 있었다.

그는 조심스럽게 책을 펼쳤다. 그 순간, 공기가 변했다. 서점 온도가 내려간 것 같았다. 아니, 어쩌면 공기가 더욱 묵직해졌다고 표현하는 것이 맞을지도 모른다. 책장이 스스로 움직이는 듯한 착각이 들었다. 빛이 희미하게 흔들리고, 책장이 서서히 열리며 먼지가 천천히 공중으로 흩어졌다. 그리고 그 순간! 어딘가에서, 익숙한 목소리가 들려왔다.

"정말 열어도 괜찮을까?"

그 목소리는 낮고 조용했지만, 깊은 곳에서 울리는 메아리 같았다. 그것은 단순한 환청이 아니었다. 그는 이 목소리를 알고 있었다. 심장이 두근거렸다. 식은땀이 등줄기를 타고 흘러내렸다. 그는 책을 다시 덮어야 할까? 아니면, 끝까지 펼쳐야 할까?

그는 한동안 움직이지 않았다. 책은 열려 있었다. 그러나 아직 그 문장을 읽지 않았다. 그 문장 속에 무엇이 기다리고 있을까? 그가 기다려 온 기억일까? 그가 외면했던 진실일까? 아니면, 그가 존재한다고 믿었던 모든 것들이 거짓이었다는 증거일까?

손끝이 떨렸다. 그는 깊이 숨을 들이마셨다. 이제, 선택의 순간이 다가오고 있었다.

9화. 금지된 기억

책을 펼치는 순간, 공기가 무거워졌다. 김도윤은 책장을 넘겼다. 그의 손끝이 닿자, 바스락거리는 종이가 마치 살아 있는 생명체처럼 미세하게 떨렸다. 활자들이 흔들렸다. 아니, 흔들리는 것처럼 보였다.

글자가 검은 물결처럼 흐르며 형태를 바꿨다. 그것은 단순한 글자가 아니었다. 그의 기억이었다. 그의 기억, 혹은 그가 잃어버린 시간, 아니면 그가 외면하고 싶었던 어떤 것인 줄도 몰랐다. 책은 조용했다. 그러나 그 침묵 속에는, 말해지지 않은 이야기들이 있었다.

서점 안의 공기가 달라졌다. 바람이 멈췄다. 서점 바깥의 소음이 희미해졌다. 모든 것이 고요했다. 그런데 이상했다.

조용한 공간 속에서, 그는 묘한 속삭임을 들을 수 있었다. 책이 그에게 말을 걸고 있었다.

"기억해."

그 말이 머릿속에 들리는 순간, 강렬한 통증이 찾아왔다. 머릿속에서 무언가가 터지는 듯한 느낌이었다. 억눌렸던 기억이, 혹은 봉인된 기억의 조각들이, 그의 의식을 향해 쏟아지기 시작했다.

그는 순간적으로 두 손으로 머리를 감쌌다. 머릿속이 불타는 듯했다. 눈앞이 일렁였다.

시간이 왜곡되었다. 어떤 기억이 떠올랐다.

비가 내리는 거리, 그는 그곳에 서 있었다. 아니, 그는 그 기억 속에서 살아 있었다.

누군가가 자신을 불렀다. 목소리는 가까웠다.

그러나 그는 얼굴을 떠올릴 수 없었다. 기억이 왜곡되고 있었다. 그것은 진짜였을까? 아니면, 책이 만들어 낸 환상이었을까?

정서아는 조용히 그를 바라보고 있었다. 그녀는 예상하였다. 이 순간이 올 것을.

책을 펼친 이상, 그는 되돌아갈 수 없었다.

김도윤은 깊은숨을 들이마셨다. 숨이 거칠게 몰아 쉬워졌다. 심장은 빠르게 뛰고 있었다. 이제 그는, 이 기억을 끝까지 따라가야 했다. 하지만 그 기억 속에 무엇이 기다리고 있을지는, 아무도 알지 못했다.

책의 활자들이 살아서 움직였다. 김도윤은 그것이 단순한 착각이라고 생각하려 했다. 그러나 단어들이 흩어지고, 서로 엉켜 들면서 어딘가로 빨려 들어가는 것처럼 보였다. 흩날리는 문장들, 사라지는 단어들, 그리고 점점 더 선명해지는 무언가! 그것은 마치 오랫동안 잠들어 있던 필름이 빛을 만나 깨어나는 순간 같았다.

'여기서 멈춰야 한다.'

그는 본능적으로 책을 닫으려 했지만, 손이 말을 듣지 않았다. 아니, 정확히 말하면, 책이 그를 놓아주지 않았다.

"기억해!"

희미한 속삭임이 귓가를 스쳤다. 서점의 공기가 변했다. 책장이 미세하게 흔들렸고, 조용한 서점이 서서히 일그러지기 시작했다. 바닥이 깊이 가라앉으며, 마치 현실과 환상의 경계가 희미해지는 듯한 감각이 들었다. 그리고, 눈앞이 까맣게 변했다.

축축한 공기가 폐를 채웠다. 비 냄새가 짙어졌다. 차가운 돌바닥, 거리를 스치는 검은 코트 자락, 흐릿한 가로등 불빛이 파스텔 그림처럼 스쳐 갔다.

김도윤은 자신이 서울 한복판, 7년 전 어느 날 밤의 거리 한가운데 서 있다는 걸 깨달았다. 여긴 어디지? 아니, 그보다 더 중요한 것은 내가 왜 여기 있는 거지?

비는 거세게 내렸고, 도시의 불빛은 번져 흐려졌다. 그는 숨을 몰아쉬며 두리번거렸다. 이곳은 단순한 환상이 아니었다. 그는 그날의 자신이 되어 있었다. 그리고, 그는 뛰고 있었다. 누군가를 쫓고 있었다.

그는 뒤돌아보지 않았다. 비에 젖은 셔츠가 피부에 달라붙었고, 숨이 차올랐지만, 멈출 수가 없었다. 그는 온 힘을 다해 뛰고 있었다. 그저 본능적으로, 눈앞의 형체를 향해서 달렸다. 그 사람은 멀지 않았다. 긴 코트를 입고 있었다. 축축하게 젖은 머리카락이 어깨에 들러붙어 있었다. 걸음걸이가 흔들렸다. 도망치고 있었다.

그러나 김도윤은 알 수 있었다. 그는 자신이 그를 쫓고 있는 게 아니라, 그 사람이 자신을 이끌고 있다는 것을 알자, 당황했다.

"기다려!"

그는 외쳤다. 그러나 그 순간, 그 형체가 멈춰 섰다. 그는 심장이 터질 듯 뛰는 가슴을 부여잡고 멈춰 섰다. 그 사람이 돌아보았다.

그리고, 그 순간, 김도윤의 뇌리에 오래도록 봉인되었던 얼굴이 떠올랐다.

"……서진아?"

숨이 멎었다. 그가 결코 떠올려서는 안 될 이름, 잊어버린 이름, 그러나 지금 눈앞에 선명하게 서 있는 이 사람은 이서진이었다.

그녀는 그를 똑바로 바라보았다. 그녀의 입술이 미세하게 떨렸다.

"도윤아……."

그 목소리는 비에 젖어 있었고, 무너지는 세계 속에서 유일하게 또렷한 것이었다.

그러나, 그 순간. 비가 내리는 거리가 부서졌다.

"도윤!"

어딘가에서 정서아의 목소리가 들려왔다. 그는 고개를 돌렸지만, 아무것도 보이지 않았다. 서점이 부서지고 있었다. 책장이 흔들렸고, 바닥이 갈라졌다. 마치 기억 속으로 끌려 들어가는 듯한 느낌. 서진이 사라졌다. 거리는 검게 일그러졌다.

정서아가 손을 뻗었다.

"나와!"

그러나 이미 너무 늦었다. 그는 검은 틈 속으로 떨어지고 있었다. 기억의 심연 속으로. 그리고, 그곳에는 그가 감당할 수 없는 진실이 기다리고 있었다.

"도윤!"

정서아의 목소리가 허공에 부딪혔다. 그러나 그는 들을 수 있을까? 아니, 듣고는 있을까?

김도윤의 형체가 희미해지고 있었다. 그의 손끝이, 그의 발끝이, 그의 존재가 투명한 안개처럼 흐려지고 있었다. 마치 그의 몸이 현실과 과거 사이에 끼어 조각나는 것처럼.

그는 눈을 크게 떴다. 자기 손을 바라보았다. 손가락이, 손바닥이, 점점 사라지고 있었다.

"이게 뭐야……?"

그의 목소리는 떨렸고, 귓가에 맴돌았다가 부서지는 듯했다. 서점의 공기가 무거워졌다.

책장이 미세하게 흔들렸다. 빛이 일렁이고, 바닥이 기우는 느낌이 들었다.

"돌아와!"

정서아가 손을 뻗었다. 그러나 그녀의 손끝이 그의 형체를 통과했다. 그리고, 그는 완전히 사라졌다.

책이 천천히 책장 위로 돌아갔다. 누가 올려놓은 것도 아닌데, 마치 스스로 원래 있던 자리로 돌아가듯. 책장은 원래의 모습으로 조용히 정리되었다. 조금 전까지 책장이 흔들리고, 공간이 일그러졌던 흔적은 어디에도 남아있지 않았다. 아무 일도 없었다는 듯이 고요했다.

그가 존재했던 흔적조차 남지 않은 채 말이다. 정서아는 한동안 그 자리에 멍하니 서 있었다. 그녀의 손끝이 미세하게 떨렸다. 책을 펼쳤던 순간부터, 그가 사라지기까지의 짧고도 긴 시간이 머릿속을 떠나지 않았다.

그리고, 그녀는 아주 작게, 힘겹게 중얼거렸다.

"또다시…"

이제 김도윤은 어디에 있는 것일까? 그의 기억 속 어딘가에? 혹은 기억 그 자체가 되어버린 걸까?

아니면, 그조차도 존재하지 않는 공간으로 사라진 걸까? 정서아는 차마 확신할 수 없었다.

서점 안에는 오직 고요함만이 남아있었다. 그러나 그 고요함이 견딜 수 없이 무거웠다. 창밖에서는 가랑비가 내리기 시작했다. 서점 간판이 흔들렸다. 책은 여전히 그 자리에 있었다.

그러나, 이제 다시 이 책을 펼칠 사람이 있을까? 정서아는 천천히, 아주 천천히 고개를 들었다. 그리고 깨달았다. 금지된 기억을 되찾으려는 대가는 단순한 고통이 아니라, '존재의 소멸'일 수도 있다는 것을 말이다. 그녀는 책장을 바라보았다. 그곳에는 여전히, 그 책이 조용히 놓여 있었다.

10화. 책의 길

모든 것이 원래대로 돌아온 듯 보였다. 책은 다시 책장으로 돌아갔고, 서점 안은 고요했다. 창밖의 바람이 문득 불어왔다가 멈추었고, 한낮에도 어둠이 깔린 듯한 적막이 공간을 메웠다.

그러나 정서아는 알 수 있었다. 이곳은 더 이상 같은 공간이 아니었다. 그녀는 숨을 삼켰다. 책장들이 조용히 줄을 맞춘 채 서 있었다. 평소와 다름없는 모습이었다. 그러나, 책장이 미세하게 흔들렸다.

아주 미묘하게. 마치 서점의 공기가 한 겹 비틀리고 있는 것처럼 요동을 쳤다.

그녀는 한 걸음 다가갔다. 바닥의 그림자가 이상했다. 빛은 책장 틈으로 스며들고 있었지만, 그림자의 방향이 불규칙했다. 마치 벽에 걸린 시계가 고장 나버린 것처럼, 시간이 어딘가에서 끊긴 것 같았다.

그녀는 손을 뻗어 책장을 어루만졌다. 손끝으로 느껴지는 감촉이 차가웠다.

"도윤……."

그의 이름을 불러보았지만, 대답이 없었다.

그가 사라진 자리, 그곳에는 오직 바닥에 떨어진 종이 한 장만이 남아있었다. 정확히 말하면, 그것은 책의 한 페이지였다. 반듯하게 찢긴 것이 아니라, 누군가 거칠게 뜯어낸 것처럼 보였다. 한쪽 끝은 낡아 바스러질 듯했고, 글자들은 마치 오래된 기억처럼 흐릿하게 번져 있었다. 그녀는 천천히 종이를 집어 들었다.

'기억이 존재하는 곳은……'

그다음의 문장은 찢겨 있었다. 서아는 종이를 세심하게 펼쳐보았다. 글씨가 아직도 살아 있는 듯했다. 잉크는 마치 종이 속에서 스며 나오는 것처럼 서서히 번지고 있었다.

그녀의 심장이 조금씩 빨라졌다. 이것은 단순한 기록이 아니다. 이것은 흔적이었다. 그리고 흔적이 남아있다는 것은, 그가 완전히 사라지지 않았다는 의미일 수도 있었다.

그녀는 한 걸음 물러섰다. 서점이 여전히 미세하게 흔들리고 있었다.

"어디 있는 거야……."

그녀는 종이를 쥔 채 생각에 잠겼다. 기억이 존재하는 곳. 그리고 그다음에 이어졌을 문장. 책을 펼친 순간, 도윤은 사라졌다. 그러나 그는 완전히 사라진 것이 아니라, 기억으로 들어간 것인지도 몰랐다.

그렇다면, 그가 사라진 것이 아니라, 그녀가 그를 찾으러 가야 한다면? 서아는 손에 쥔 종이를 다시 내려다보았다.

책이 가리키는 길이, 그의 흔적을 따라갈 수 있는 유일한 단서라면, 그녀는 결심한 듯, 깊이 숨을 들이마셨다. 그리곤, 책장을 향해 조용히 손을 뻗었다.

그 순간, 책장들 사이에서 미세한 공기가 일렁이며, 무언가가 움직였다.

그녀의 귓가를 스치는 바람, 책 속에서 흘러나오는 단어들, 그리고 누군가의 희미한 목소리가 들렸다.

"……서아."

그녀의 심장이 요동쳤다. 도윤이었다. 그는 사라지지 않았다. 그는 어딘가에 있었다. 그녀는 다시 책장을 바라보았다. 그리고, 그곳에 새로운 길이 열리고 있었다.

책장을 스치는 손끝이 차가웠다. 정서아는 손에 들린 찢어진 페이지를 내려다보았다. 여전히 흐릿한 잉크, 그리고 미완의 문장이 적혀 있었다.

"기억이 존재하는 곳은……"

그다음의 글자들이 존재하지 않는다는 것이 오히려 더 많은 것을 암시하는 듯했다.

그녀는 천천히 숨을 들이마셨다. 그 순간, 서점의 공기가 변하기 시작했다.

눈에 보이지 않는 무언가가 미세하게 일렁였다. 책장 틈 사이로 불어오던 공기가 바뀌고 있었다. 차가운 바람이 불어왔고, 마치 서점 자체가 살아 있는 듯한 감각이 그녀의 피부를 타고 스며들었다.

책들이 미세하게 흔들렸다. 책장들이 아주 천천히, 그러나 확실히 스스로 움직이기 시작했다. 서아는 본능적으로 알았다. 이곳이 반응하고 있다.

책장 틈에서 빠져나온 한 권의 책이 땅으로 떨어졌다. '툭' 그 소리는 너무도 작았지만, 그녀의 심장까지 흔들어 놓기에 충분했다. 그녀는 천천히 고개를 숙였다.

그리고, 숨을 멈췄다. 그 책은 이전까지 한 번도 본 적 없는 책이었다. 어느 책장에도, 어느 목록에도 없던 책, 표지도 없었다. 제목도 없었다. 저자의 이름조차 적혀 있지 않았다.

그것은 마치, 존재하지 않아야 할 책처럼 존재했다. 그러나, 그녀는 그것을 알고 있는 것만 같았다. 손끝이 서서히 떨렸다. 그녀는 조심스럽게 책을 집어 들었다. 페이지를 넘기기도 전에, 책장들이 일제히 흔들리기 시작했다.

순간, 서점 전체가 흔들렸다. 책들이 제자리에서 튀어 올랐다. 어떤 책들은 바닥에 쏟아졌고, 어떤 책들은 다시 책장으로 스며들듯 사라졌다.

마치 서점이 단 한 순간, 자신의 형체를 부정하려는 것처럼 말이다.

그녀는 책을 꼭 쥐었다. 그것을 펼쳐야 한다는 본능적인 느낌이 들었다. 하지만, 펼치는 순간 어떤 일이 일어날지 알 수 없었다.

그러나 이미 늦었다. 책을 손에 쥔 순간, 서점의 공기가 완전히 바뀌었다. 그녀의 앞에는, 존재하지 않던 새로운 길이 열리고 있었다.

그 길 끝에서, 희미하게 누군가의 형체가 서 있었다.

도윤은 어딘가에서 그녀를 기다리고 있었다. 그리고, 이제 서아는 선택해야 했다.

그를 따라갈 것인가. 아니면, 이곳에 남을 것인가.

서점은 여전히 흔들리고 있었다. 바람이 불고 있었다. 그녀는 마지막으로 한 번 더,

손에 들린 책을 내려다보았다. 그리고, 책의 첫 장을 조심스럽게 펼쳤다.

책이 완전히 펼쳐지는 순간, 서점 한가운데의 바닥이 미세하게 일렁였다. 마치 물 위에 떨어진 잉크처럼, 검은색 그림자가 천천히 퍼져 나갔다. 그것은 단순한 그림자가 아니었다.

서아는 숨을 삼켰다. 그것은 깊이를 알 수 없는 틈이었다. 바닥이 갈라진 것도, 서점이 무너진 것도 아니었다. 그러나 그녀는 알 수 있었다.

'이곳은 시간과 기억이 흐르는 곳이다.'

단 한 번도 열린 적 없는 길, 그것이 지금 그녀의 앞에 존재하고 있었다. 그녀는 책을 움켜쥐었다. 마치 책이 유일한 닻이라도 되는 것처럼 말이다. 그때, 책 속에서 문장이 떠올랐다.

"기억이 존재하는 곳은……."

그리고 찢겨 나간 다음 문장이었다. 그녀는 깨달았다. 도윤은 이

미 이곳에 들어선 것이다.

그 길은 단순한 시간 회귀가 아니었다. 기억의 본질을 거슬러 올라가는 길, 과거를 그대로 재현하는 것이 아니었다.

사람이 남긴 기억의 잔상들 속을 걷고 있다. 이곳은 깊고도 불완전한 공간, 사람의 의식이 만들어 낸 세계이다. 이곳에서조차 도윤이 자신의 기억을 찾지 못한다면, 그는 영원히 이곳에 갇히게 될 것이다.

서아의 손끝이 저릿했다. 그녀는 책을 닫았다. 그러자 서점 전체가 다시 한번 흔들렸다. 책장 사이의 바람이 일렁이며, 빛과 그림자가 불규칙하게 흔들렸다. 그녀는 조용히 입을 열었다.

"……도윤."

아무런 응답도 없었다. 대신, 서점의 바닥이 완전히 열렸다. 그리고 그곳에, 도윤의 흔적이 보였다.

그녀는 한 걸음 물러섰다. 눈앞의 공간은 분명 현실과 연결된 곳이 아니었다. 그러나 도윤이 이곳을 지나갔다면, 그녀도 따라가야 했다.

기억은 언제나 사람을 잡아먹는다. 누군가는 그것을 되찾기 위해 몸부림치고, 누군가는 그것을 잊기 위해 몸을 던진다.

그리고, 그녀는 지금 이곳에서 선택해야 했다. 책을 내려놓고 이대로 닫아버릴 것인가, 아니면 도윤을 따라 기억의 길로 들어설 것인가.

서아는 고개를 들었다. 서점은 조용했다. 그러나 공기는 그녀에게 대답하고 있었다.

그녀는 마지막으로 한 번 더, 자신이 품고 있던 책을 내려다보았다.

그 책이 이곳에 나타난 이유, 그 책이 그녀의 손에 남겨진 이유는 아마도 기억이 그녀를 기다리고 있기 때문일 것이다. 그녀는 천천히 숨을 들이마셨다.

그리고, '기억의 길'을 향하여 발걸음을 내디뎠다.

11화. 추락

도윤은 바닥이 꺼지는 듯한 감각과 함께, 자기 몸이 한없이 가라앉는 것을 느꼈다. 그것은 꿈처럼 느껴졌지만, 너무나도 선명했다.

그날의 공기가 피부 위로 스며들었다. 습기를 머금은 바람이 뺨을 스쳤고, 먼지 냄새와 오래된 나무 향이 코끝을 간질였다. 어딘가에서 들려오는 희미한 자동차 소리, 그리고 발밑에서 느껴지는 단단한 아스팔트의 감촉이었다. 숨을 들이마셨다. 그는 이미 알고 있었다. 여기는 7년 전이었다.

도윤은 고개를 들었다. 그리고 그를 마주한 것은, 바로 자신이었다. 7년 전의 자신, 흐릿한 조명 아래, 어딘가 서툴고도 불안한 표정을 짓고 있는 젊은 도윤이 거울처럼 서 있었다.

그는 한순간 발을 멈추었다. 이것은 단순한 기억이 아니다.

"나는…… 과거를 보고 있는 것이 아니라, 그 속으로 들어와 있는 건가?"

그는 자기 손을 내려다보았다. 그러나 그의 손은 지금도 명확하게 존재하고 있었다. 몸은 가볍지도 무겁지도 않았고, 신기루처럼 흐려지지도 않았다. 그러나 그는 분명히 두 개의 시간 속에 존재하고 있었다.

그는 천천히 주위를 둘러보았다. 이곳은 그의 기억 속에서 익숙한 공간이었다. 그러나 어딘가가 미묘하게 달랐다.

"이 장소는 내가 알고 있는 것과 다르다."

그가 알고 있는 기억의 조각들은 명확했지만, 지금 그가 보고 있는 광경은 기억과 어긋나 있었다. 건물의 색이 다르고, 벽에 붙어 있는 포스터의 날짜가 틀렸다. 그리고 그날의 거리에는 없었던 가게가 하나 더 있었다.

"무엇이 잘못된 거지?"

그는 두 개의 시간 사이에서 균열이 생겨나고 있다는 것을 직감했다. 기억 속으로 들어온 것이 아니라, 기억이 다시 쓰이고 있었다.

그는 다시 한번 7년 전의 자신을 바라보았다. 그는 누군가를 기다리고 있었다. 그러나 그 인물이 누구였는지 기억나지 않았다. 그 날의 마지막 순간이었다,

그의 기억은 늘 공백으로 남아있었다. 그리고 지금 그는 그 공백의 문턱에 서 있었다. 그러나 이상했다. 그는 기억을 되찾기 위해 이곳에 온 것인데, 기억 속에서조차 진실이 흐려지고 있었다. 마치 누군가가 그의 기억을 덧칠하고 있는 것처럼 느껴졌다.

이제 그는 선택해야 했다. 과거의 자신에게 다가갈 것인가, 아니면 이 기억 속에서 단서를 찾아야 하는가.

"이곳이 과거라면, 나는 무엇을 해야 하지?" 그때의 나라면 무엇을 선택했을까?"

7년 전의 자신이 움직였다. 누군가를 향해 다가가고 있었다. 도윤은 그 순간, 그가 누구를 만났는지 기억해 내야만 했다. 그것이 이 모든 의문을 풀어줄 단서일 것이었다.

그는 숨을 깊게 들이마셨다. 그리고, 7년 전으로 걸음을 내디뎠다.

바람이 스쳤다. 차갑고 무겁게, 그러나 익숙한 방식으로. 그는 눈을 감았다가 떴다. 눈앞에 펼쳐진 공간은 낯설지 않았지만, 동시에 알 수 없는 위화감이 엄습해 왔다. 어딘가 잘못됐다.

"이곳이… 정말 내 기억 속일까?"

도윤은 천천히 주변을 살폈다. 길 위로 가로등의 빛이 번져 있었고, 축축한 공기가 그의 피부를 타고 흘렀다. 가로수 옆의 벤치,

오래된 카페, 그리고 거리를 걷는 사람들이 보였다.

모든 것이 그날과 똑같았지만, 결정적인 한 가지가 달랐다. 기억이 선명하지 않았다. 아니, 정확히는 누군가 일부러 조작한 것처럼 흐려져 있었다.

도윤은 거리를 따라 걸었다. 어떤 발걸음은 바닥에 남고, 어떤 발걸음은 사라지는 듯한 기분이 들었다. 길을 지나가는 사람들, 그들은 그를 알아보지 못했다. 아니, 정확히 말하면 알고 있지만, 모른 척하는 것 같았다.

그리고, 그중 한 사람. 검은 외투를 걸친 남자가 고개를 돌려 그를 바라봤다. 그 순간, 온몸에 한기가 스쳤다. 그는 기억 속의 인물들이 그를 인식하고 있다는 사실을 깨달았다.

"……도윤?"

낯선 목소리, 아니, 낯설지 않았다. 그는 기억했다. 이 사람이, 그날 있었던 사람 중 하나라는 것으로 추측이 되었다. 그러나, 그의 얼굴은 보이지 않았다. 얼굴이 보이지 않는다는 것은, 기억 속에서 사라진 존재라는 뜻이었다.

"이 기억 속에 뭔가가 감춰져 있다."

도윤은 남자에게 다가갔다.

"내가, 당신을 아는가?"

그러나 대답은 없었다. 그 남자는 가만히 그를 바라보다가, 뒷걸음질 치듯 서서히 멀어졌다.

"대답해."

그가 한 걸음 다가가자, 그 남자의 형체가 일그러졌다. 그리고 마치 오래된 필름이 타들어 가듯, 검은 그림자 속으로 사라졌다. 그러자 공간이 흔들렸다.

기억 속의 거리에서, 균열이 일어나기 시작한 것이다. 건물들이 흐려지고, 표지판의 글자가 사라졌다. 그는 알았다. 이 기억 속에는, 누군가가 일부러 숨긴 것이 있다.

그리고 그것을 밝혀내려는 순간, 기억 자체가 붕괴하기 시작할 것이라는 사실도 말이다.

그는 뒤를 돌아봤다. 사람들이 여전히 길을 따라 움직이고 있었다. 그러나, 그들의 시선이 달라져 있었다. 처음에는 그를 무시하던 사람들, 그들이 이제는 그를 보고 있었다. 눈을 맞추지 않으려 애쓰면서도, 그가 여기에 있다는 걸 이미 알고 있다는 듯했다. 누군가는 그를 지나치며 수군거렸다.

"그가 이곳에 왔다."

누군가는 발걸음을 멈추고, 마치 판단이라도 하려는 듯 그를 바라봤다. 그리고, 그들 사이에서 한 사람이 조용히 속삭였다.

"자네는 이곳에 있으면 안 돼."

도윤은 숨을 들이마셨다. 그의 심장은 빠르게 뛰었다. 그는 분명히 이곳에 올 때, 자신의 기억을 되찾으러 왔다. 그러나 이제 그는 확신할 수 없었다. 이것은 정말 그의 기억이 맞는가? 그날, 그는 중요한 누군가를 만났다. 그는 그 사실을 알고 있었다.

하지만 문제는 그 상대방의 얼굴이 보이지 않는다는 것이었다. 아니, 그 얼굴이 기억 속에서 삭제된 것 같았다.

"누구였지?"

그는 자신에게 물었다. 그러나 대답할 수 없었다. 그 기억의 조각은, 사라졌었다. 그가 한 걸음 더 내딛는 순간, 서점이 흔들렸다. 아니, 기억의 공간 자체가 흔들리고 있었다. 모든 것이 깨질 듯이 일렁였다. 그리고, 도윤은 깨달았다.

그가 찾으려는 것은 단순한 과거가 아니라는 것을 인식했다. 이것은 기억이 아니다. 이것은 누군가가 만들어 놓은 기억의 덫이었다. 그는 이제, 되돌아갈 수 있을까? 아니면, 진짜 기억을 마주할 것인가?

기억이란 것은 단순한 과거의 파편이 아니다. 때로는 살아있는 생명체처럼 변이를 일으키고, 의도를 가지며, 자신을 찾는 자를 집어삼키려 한다. 도윤은 그 사실을 너무 늦게 깨달았다. 그는 단순히 과거를 되찾으러 온 것이 아니었다. 지금 그는, 기억 속에서 길을 잃고 있었다.

어디선가, 아주 오래된 목소리가 들려왔다.

"이곳은 네가 생각하는 단순한 기억이 아니다."

그는 순간 몸을 굳혔다. 누군가가, 아니… 무언가가 그를 보고 있었다. 그는 천천히 고개를 돌렸다. 그러나 아무도 없었다.

아니, 정확히 말하면 보이지 않는 존재들이 그를 지켜보고 있었다. 그들의 목소리는 귓가에서 속삭였다.

"네가 찾고 있는 것은 진실이 아니다."

"네가 기억하는 것은, 이미 사라진 것."

도윤은 숨을 몰아쉬었다. 자신이 들어온 이 공간은 단순한 '기억'이 아니었다. 무언가가 봉인된 장소였다.

그는 걸음을 옮겼다. 발밑에 바스러지는 낙엽 같은 기억들, 그 안에서 잊힌 얼굴들이 흩어지고 있었다. 그날의 장면이 떠올랐다. 비 오는 거리, 축축한 공기, 누군가가 자신을 불렀다.

"기억해 줘."

그 목소리는 익숙하면서도 낯설었다. 그러나, 그 목소리의 주인은 보이지 않았다. 마치 그 존재가 기억에서 지워진 것 같았다.

그리고 그때. 그가 알고 있던 기억이 완전히 뒤집혔다. 과거의 자신이 바라보는 거리, 하지만 익숙한 풍경 속에서, 존재해서는 안 될 인물들이 그를 바라보고 있었다.

그들은 누구인가? 그는 그들을 기억할 수 없었다. 아니, 기억할 수 없는 것이 아니라, 기억에서 지워진 것이었다. 그가 잃어버린 기억은 단순한 망각이 아니라, 누군가가 의도적으로 봉인한 것. 그리고 그들은 그가 그 기억을 찾기를 원하지 않았다.

"도윤!"

그 순간, 멀리서 서아의 목소리가 들렸다. 그러나 그는 움직일 수 없었다. 기억 속에서, 그를 바라보는 존재들이 속삭였다.

"그녀는 네가 돌아가기를 원하지만, 너는 이미 너무 깊이 들어와 버렸다."

"진실을 원한다면, 더 깊이 들어가라."

그는 선택해야 했다. 기억을 되찾고 진실을 알 것인가, 아니면 다시 현실로 돌아갈 것인가? 그러나 문제는 그가 이미 선택할 수 있는 순간을 넘어서고 있다는 것이었다. 그의 몸이 점점 더 기억 속으로 빨려 들어가고 있었다.

이제, 그는 되돌아갈 수 있을까? 아니면, 진실의 끝까지 도달해야만 하는 것일까?

12화. 기억의 파편들

어둡고 축축한 공기가 피부에 달라붙었다. 비 냄새가 코를 찔렀다. 회색빛 거리, 빗물에 젖은 아스팔트, 희미하게 번진 가로등 불빛. 도윤은 자신이 그곳에 있다는 것을 알았다.

7년 전. 그러나 무언가 이상했다. 기억은 단순한 파편이 아니다. 기억은 살아 숨 쉬며, 그것을 떠올리는 자의 의식 속에서 끊임없이 재구성하고 있다. 그는 자신이 기억 속을 걷고 있다는 걸 알았다. 하지만, 그 기억이 계속해서 변형되고 있었다.

그는 비 오는 거리에서 누군가를 쫓고 있었다. 멀리 보이는 형체. 도망치는 자의 뒷모습이 익숙했다. 빗방울이 그의 뺨을 때렸다. 구두 밑창이 웅덩이를 밟으며 미끄러질 듯했다. 거리에는 아무도 없었고, 오직 두 사람만이 있었다. 그는 쫓아가야 했다. 왜?

그는 이유를 알지 못했다. 그러나 두 다리는 본능적으로 움직이고 있었다. 그 형제를 잡아야만 했다. 그 형체는… 도윤 자신이었다.

그는 또다시 비 오는 거리를 걷고 있었다. 하지만 이번에는 누군가가 그를 쫓고 있었다. 뒤에서 들려오는 거친 숨소리, 발소리가 커졌다.

그는 고개를 돌려보려 했지만, 몸이 따라주지 않았다. 누군가가 자신을 따라오고 있었다. 하지만 그 존재를 볼 수 없었다. 조금 전까지 자신이 쫓고 있던 거리, 이제는 자신이 도망치는 처지가 되어 있었다. 그리고 이 거리의 끝에, 그가 죽도록 보고 싶지 않았던 얼굴이 기다리고 있었다.

이제 그는 그 거리에 있었다. 그러나 추적자도, 도망자도 없었다. 그 거리는 텅 비어 있었다. 비도 멈춰 있었다. 주변의 색채가 바래며 모든 것이 균열을 일으키듯 변해가고 있었다. 그는 손을 내밀었다. 공기는 투명했지만, 무언가 보이지 않는 벽이 그의 손을 막았다.

'이곳은…'

이곳은 기억 속의 공간이 아니었다. 이곳은, 누군가가 조작한 기억이었다. 도윤은 숨을 몰아쉬었다. 기억이 흐려지고 있었다. 그는 지금 기억 속을 걷고 있지만, 그것이 과연 자신의 기억이 맞는지조차 확신할 수 없었다.

그는 이제 알고 있었다. 자신이 알고 있던 과거는 왜곡된 것이었다. 누군가가 일부러 변형한 것이었다. 그렇다면, 그날, 그곳에서 일어난 진실은 대체 무엇이었을까? 그는 되돌아갈 수 있을까? 아니면, 기억 속에 갇혀버릴까?

도윤은 다시 한번 거리를 걷고 있었다. 이번에는 익숙한 얼굴들이 보였다. 거리 모퉁이에서 신문을 접고 있는 중년 남성, 바람에 흔들리는 노점상의 천막 아래 앉아 있던 노파, 건너편에서 걸어오는 한 쌍의 연인은 그에게 익숙한 사람들이었다.

7년 전, 그는 이곳을 지나갔다. 그리고 분명히, 그때의 그는 이 사람들을 보았다.

그러나…

무언가 이상했다.

그들은 움직이지 않았다.

아니, 정확히 말하면, 그들은 마치 미리 설정된 동작만을 반복하고 있는 것처럼 보였다. 신문을 접던 남자는 몇 번이고 같은 페이지를 넘겼다. 노파는 흔들리는 머리를 멈추지 않았고, 그녀의 입가에 걸린 희미한 미소조차 흐트러지지 않았다. 연인은 서로를 마주보며 뭔가 대화를 나누고 있었지만, 입술은 움직이지 않았다. 마치, 그들은 '기억 속 인물'로만 보였다….

도윤은 신문을 접고 있는 남자에게 다가갔다.
"실례합니다. 혹시 7년 전 이 거리에서 무슨 일이 있었는지 기억하시나요?"
남자는 신문에서 눈을 떼지도 않은 채 낮고 기계적인 목소리로 말했다.
"비가 왔었지."
그 한마디를 끝으로, 그는 다시 신문을 넘겼다. 도윤은 인상을 찌푸렸다.
"그날, 여기서 사고가 있었죠. 혹시 보신 적 있나요?"
남자는 같은 대답을 반복했다.
"비가 왔었지."
이번에는 노파에게 다가갔다.
"할머니, 7년 전 이곳에서 어떤 일이 있었는지 아세요?"
노파는 마치 처음 듣는 말이라는 듯이 천천히 고개를 돌렸다. 그녀의 눈동자는 희미한 초점을 잃고 있었고, 그녀의 입술이 천천히 열렸다.
"……비가 왔었지."
도윤의 심장이 철렁 내려앉았다. 이건 기억이 아니다. 이건 조작된 흔적이다. 그는 연인을 바라보았다. 그들은 여전히 조용히 대화를 나누고 있었다. 그러나 아무리 귀를 기울여도 들리는 것은 없었다. 도윤은 그들 사이에 끼어들며 물었다.
"당신들은 7년 전, 이곳에서 무슨 일이 있었는지 기억하나요?"
그 순간, 여자의 얼굴이 서서히 도윤을 향했다. 그리고 그제야, 그는 깨달았다. 그녀의 얼굴이 없었다. 부자연스럽게 뭉개진 형체, 마치 오래된 사진 속 흐려진 부분처럼, 그녀의 남자는 그를 보지 않았다. 하지만 여자는, 그를 똑바로 바라보고 있었다. 입술이 천천히 열렸다. 그리고 그녀가 말했다.
"이것이 네가 원했던 진실이야?"

도윤은 뒤로 물러섰다. 머릿속이 복잡해졌다. 이 기억은 완전하지 않았다. 누군가가, 아니면 무언가가 이 기억을 조작하고 있었다. 그렇다면, 그날, 이 거리에서 정말로 어떤 일이 있었던 걸까?

그리고 그는 깨닫게 되었다. 기억은 단순한 재현이 아니다. 기억은, 누군가의 의도에 따라 얼마든지 변할 수 있었다.

"내가 찾는 진실인 것이 있는 걸까?"

그가 찾으려 하는 '진짜 진실'은 대체 어디에 존재하는 걸까?

머릿속이 찢어질 듯 아팠다. 기억이 떠오르는 순간마다, 보이지 않는 손이 그의 이마를 짓누르는 듯했다. 누군가가, 아니, 무언가가 그를 밀어내고 있었다. 7년 전, 그날의 장면을 떠올리며 하면, 마치 흐릿한 안개가 그의 눈을 가리는 것처럼 기억은 형태를 갖추지 못한 채 사라졌다.

비가 내리고 있었다. 사람들이 소리쳤고, 누군가는 도망쳤다. 하지만 그는 단 하나의 얼굴도, 단 하나의 목소리도 똑바로 기억할 수 없었다. 도윤은 이를 악물었다.

'나는 본 적이 있다. 나는… 분명 그날을 알고 있었다.'

하지만, 그 기억은 마치 벽 뒤에 숨겨져 있는 것처럼 손에 닿지 않았다.

눈을 감았다가 떴다. 눈앞에는 여전히 7년 전의 거리, 같은 골목, 같은 건물들이 늘어서 있었다. 그러나 무언가 달랐다. 바람이 불지 않았다. 사람들이 걷고 있었지만, 그들의 발은 지면에 닿지 않는 듯했다. 모두가 일종의 허상 같았다.

마치…

이 공간이 만들어진 기억이라면? 도윤은 심장이 서늘해지는 기분을 느꼈다.

누군가가, 아니면 그 자신이 이 기억을 '연출한' 것이었다면?

그렇다면 그가 보고 있는 이 장면이 과연 진짜일까?

그는 골목의 벽을 손으로 짚어보았다.

차갑고 거칠었다. 기억 속에서도 감각이 느껴진다는 사실이 더욱 그를 혼란스럽게 했다.

'이건 단순한 회상이 아니다. 나는 지금 기억 속에 갇혀 있다.'

갑자기, 기억의 조각 하나가 떠올랐다. 그날, 그곳에서 그는 누군가를 보고 있었다. 하지만 기억이 더 떠오르려는 순간, 그의 머릿속이 마치 고장 난 기계처럼 삐걱대며 멈춰 섰다.

엄청난 두통, 그리고…그 장면이 찢겨 나갔다. 그는 누군가를 봤지만, 그 장면이 기억에서 삭제되는 감각을 느꼈다. 그것은 단순한 망각이 아니었다. 강제적인, 의도된 망각이었다.

'나는 이 기억을 지워야만 했던 걸까? 아니면 누군가가 내 기억을 지운 걸까?' 그가 보았던 장면이 무엇이었기에, 그것을 잊지 않으면 안 되었던 걸까?

두통이 점점 심해졌다. 누군가가 그의 머릿속을 휘젓고 있는 듯한 느낌이었다. 마치, 그가 기억의 틀을 벗어나려 할 때마다 보이지 않는 힘이 그를 끌어당기는 것 같았다.

그는 주저앉아, 다시 기억을 붙잡으려 했다. 그날, 그곳에서…. 그가 본 것은 허상이었다.

그 순간, 기억 속의 공간이 일그러지기 시작했다. 건물의 벽이 휘어지고, 바닥이 갈라졌다. 하늘이 어두워지고, 바람이 없던 거리에서 갑작스레 소용돌이가 일었다. '기억이 저항하고 있다.' 아니, '이 공간이 나를 밀어내고 있다.'

그리고, 그는 또 다른 과거 속으로 빨려 들어갔다. 어두운 공간. 그는 다시 한번 새로운 기억의 문 앞에 서 있었다. 이번에는, 지금까지 한 번도 본 적 없는 기억이었다.

13화. 이상한 변화

서점은 변하고 있었다. 그것이 처음 언제부터였는지는 확실하지 않았다. 아마도 도윤이 사라진 순간부터. 책장은 여전히 그 자리에 있었고, 서가는 변함없이 조용했지만, 정서아는 알 수 있었다.

보이지 않는 손이 서점의 질서를 흔들고 있었다. 책들이 미묘하게 재배치되어 있었다. 자신이 정리한 적 없는 순서로, 마치 책들 스스로가 새로운 위치를 찾아가는 듯한 모습이었다.

어떤 책들은 갑자기 표지가 사라지거나, 제목이 공백으로 변해 있었다. 책을 펼치면, 활자가 흐릿하게 일렁이며 종이 위에서 마치 살아 있는 생물처럼 꿈틀거렸다.

그리고 분명 어제까지만 해도 존재하지 않았던 책들이 등장했다. 그것은 서점의 오래된 구조 속에 숨어 있다가, 마침내 자신을 드러낸 것처럼 보였다.

서점 한구석, 금지된 서고. 평소 손님들은 물론이고, 서아 자신도 쉽게 접근하지 않던 장소였다. 하지만 오늘, 그곳에서 묘한 이질감이 느껴졌다. 공기가 다른 곳과 달랐다. 조금 더 무겁고, 더 조용했다. 아니, 조용하다고 해야 할까?

너무나도 조용해서, 마치 무언가가 모든 소리를 빨아들이는 듯한 침묵이 감돌았다. 그녀는 손을 뻗어 서고의 문을 밀어 보았다. 문은 예상보다 쉽게 열렸다. 그리고 그 순간, 등 뒤에서 바람이 불어왔다. 서점 내부에선 절대 느껴질 수 없는 바람이었다. 서가는 항상 창이 닫혀 있는 공간이었다. 그런데도, 무언가 보이지 않는 흐름이 공간을 가르고 지나가는 듯한 감각이 그녀의 뺨을 스쳤다.

그녀는 조심스럽게 발을 들였다. 어둠이 짙게 깔린 공간, 책장들이 더 촘촘하고, 더 거대해 보였다. 일반적인 서가의 책들과는 다른, 시간이 멈춘 듯한 책들이 늘어서 있었다. 어떤 책들은 낡은 가죽으로 묶여 있었고, 어떤 것들은 마치 손으로 직접 만든 듯한 양피지에 글씨가 새겨져 있었다.

그녀는 한 권의 책을 꺼내 들었다. 그러나 제목이 없었다. 표지가 하얗게 지워져 있었다. 마치 누군가 이 책의 존재를 감추려 한 듯이, 그녀가 조심스럽게 페이지를 펼치는 순간, 책장 깊숙한 곳에서 무언가가 움직이는 소리가 들려왔다.

책이, 스스로 움직이고 있었다. 천천히, 아주 천천히, 책장 위의 책들이 일제히 흔들렸다. 어떤 책들은 서가에서 떨어져 바닥에 쌓였고, 어떤 것들은 다시 책장 속으로 스며들 듯 사라졌다.

그녀는 두 눈을 질끈 감았다가 다시 떴다. 그런데도, 여전히 책들은 미세하게 움직였다. 그녀가 손에 들고 있는 책 또한 마찬가지였다. 손끝에서 따뜻한 감각이 느껴졌다. 마치 살아 있는 생명체를 만지고 있는 듯한 느낌이었다.

'이 책은… 기억과 연결된 것이야.'

서아는 책을 다시 바라보았다. 아무것도 적혀 있지 않은 페이지, 그러나 빛이 반사되는 각도에 따라, 희미한 글자들이 떠오르는 것 같았다.

그녀는 숨을 멈추고 책을 기울였다. 그리고 그 순간, 공백이었던 페이지에서, 도윤이라는 이름이 흐릿하게 떠올랐다. 그녀의 심장이 세차게 뛰기 시작했다.

'그가 남긴 흔적이야.'

도윤은 단순히 사라진 것이 아니었다. 그의 존재가, 그의 이름이, 기억 속에서 지워지고 있었다.

그리고, 그녀는 깨달았다. 이상한 변화는 단순한 책의 재배열이 아니었다. 서점 자체가 변하고 있었다. 아니, 무언가가 서점을 지우고 있었다. 도윤이 사라진 것처럼, 그녀는 책을 다시 단단히 쥐었다. 이제, 서점은 단순한 공간이 아니었다. 그것은 기억의 무덤이

자, 사라진 존재들의 흔적을 간직한 곳이 되어가고 있었다. 그리고 그 속에서, 어쩌면 그녀도 사라질 운명인지 모른다.

정서아는 서가를 지나며 책장 사이로 손을 뻗었다. 손가락 끝이 종이의 결을 따라 미끄러지자, 오래된 책 한 권이 떨리는 듯한 미세한 진동을 일으켰다. 그녀는 숨을 죽였다. 책은 단순한 물건이 아니라, 생명을 가진 것처럼 반응했다.

그리고, 그 순간, 책등에 새겨진 금박 글자가 흐릿하게 변하며, 사라지기 시작했다.

마치 누군가의 기억이 지워지는 것처럼 보였다. 책장은 여전히 단정한 질서를 유지하고 있었지만, 그것은 겉보기일 뿐이었다. 실제로 서점은 서서히 변하고 있었다.

아니, 서점은 살아 있었고, 그것은 '기억'이라는 존재를 수집하고 있었다.

책을 펼쳤다. 그리고 그 순간, 한 줄기 희미한 빛이 활자 사이에서 흘러나왔다. 글자들은 단순한 정보가 아니었다. 그것은, 누군가가 남긴 기억의 조각들이었다.

사람들은 책을 통해 기억을 지우거나 조작할 수 있다고 믿었지만, 사실 서점 자체가 그들의 기억을 '보관'하고 있었다. 서점은 그동안 방문한 이들의 기억을 빨아들이듯 흡수했고,

그것을 기록하고, 때로는 변형하며, 존재 자체를 재구성하고 있었다. 그녀가 알고 있던 '청연서점'은 단순한 책방이 아니었다. 그것은 기억의 도서관이었다.

서아는 천천히 눈을 감았다. 이제야 깨달을 수 있었다. 이 서점이 존재하는 이유. 그리고, 그녀가 이곳에서 지켜봐 왔던 손님들의 운명, 기억을 찾으러 왔던 사람들, 기억을 지우고 싶어 했던 사람들, 기억을 변형하고 싶어 했던 사람들, 그들은 모두 책을 펼칠 때마다, 자신의 일부를 서점에 남겼다.

그들은 떠났지만, 그들의 기억은 이곳에 머물렀다. 책은 그들의 이름을 기억하고 있었다.

오랜 시간 동안 그녀는 서점을 운영하며 손님들을 맞이했다. 하지만, 그녀조차도 이 서점이 가진 본질적인 힘을 완전히 이해하지 못하고 있었다. 이제야 알게 되었다.

그녀가 했던 일은 단순한 책을 파는 일이 아니었다. 그녀는 기억을 보관하는 '관리자'였다. 잊고 싶어 하는 자들에게 망각을 선물했고, 되찾고 싶어 하는 자들에게 책을 건네주었다.

그러나 그 대가는 무엇이었을까? 기억은 단순히 사라지는 것이 아니라, 다른 형태로 남아 서점에 스며들고 있었다.

그리고 도윤! 그의 기억은 어디에 있을까? 그가 남긴 흔적은? 서점에서 사라졌던 도윤의 존재를 되찾기 위해, 서아는 책장 사이를 다시 훑었다.

그녀는 단 하나의 진실을 깨닫기 시작했다. 도윤은 단순히 '사라진' 것이 아니었다. 그는, 기억 속으로 흡수되었다. 그는 이 서점의 책이 되어버린 것인지도 몰랐다.

그렇다면, 그를 되찾기 위해서는 기억의 가장 깊은 곳으로 들어가야 했다. 그녀는 마침내 결심했다.

서아는 책을 단단히 쥐었다. 그녀의 손끝에서 온기가 느껴졌다. 그것은 단순한 종이의 감촉이 아니었다. 마치 도윤의 흔적이 그 안에서 살아 숨 쉬는 것 같았다. 그녀는 책을 다시 펼쳤다.

그리고 그 순간, 책장이 흔들리며, 서점 깊은 곳으로 향하는 문이 열리기 시작했다. 그 문 너머에, 도윤이 있을까? 아니면, 또 다른 진실이 그녀를 기다리고 있을까? 서아는 한 걸음 내디뎠다. 그리고, 기억의 중심으로 뛰어들었다.

서아는 촛불처럼 깜빡이는 희미한 빛 아래서 서가를 더듬었다. 책장 사이에 얽힌 공기는 무겁고도 낯설었다. 그녀의 손끝이 낡은 가죽 제본의 책 한 권을 스칠 때, 그 순간, 심장이 내려앉았다. 책등에는 다른 책들과는 다른 방식으로 새겨진 이름이 있었다.

'정서아'

그녀는 숨을 멈추고 책을 꺼냈다. 손바닥에 올려놓은 순간, 희미한 진동이 느껴졌다. 마치 이 책이 자신을 기다리고 있었다는 듯이. 그녀는 손가락 끝으로 표지를 천천히 쓸었다. 낡고, 바랜 가죽의 촉감이, 오래된 기억의 질감처럼 손끝에 스며들었다.

책을 펼쳤다. 그리고 그녀는 경악했다. 페이지 대부분이 비어 있었다. 종이 위에는 글자가 있어야 했다. 이름과 사건과 기억의 조각들이 가득해야 했다.

그런데, 그곳에는 아무것도 없었다. 하얗게, 완전히 지워진 페이지들. 몇 장을 넘겨도 마찬가지였다. 오직 맨 뒷장 한쪽 구석에, 흐릿한 글씨가 남아있었다.

"기억은 남지만, 존재는 사라진다."

손끝이 떨렸다. 책을 다시 단단히 쥐었다. 그녀는 몰랐다. 자신이 이 서점에서 일한 이유를, 언제부터 여기 있었는지를, 단순한 서점 주인이 아니라는 것. 단순한 '관리자'가 아니라는 것을 느끼게 되었다.

이곳이 남들의 기억을 보관하는 장소라면, 그렇다면 그녀의 기억은? 그녀는 언제부터 이곳에 있었을까? 이곳에서 살았던 것이 아니라, 이곳에서 '존재하게 된 것'이라면? 도대체 이게 뭐란 말인가?

그녀는 떠올렸다. 도윤이가 그가 사라진 순간을, 그는 기억을 되찾기 위해 서점을 찾았다. 그리고 사라졌다. 그렇다면, 이 서점이 그를 기억의 세계로 끌어들인 것이 아닐까?

만약 그렇다면, 도윤은 지금 이 책들 속 어딘가에 존재하는 걸까? 그녀는 시선을 들었다. 책장들 사이로 숨겨진 비밀, 낯설면서도 익숙한 공기, 이곳은 단순한 서점이 아니다. 이곳은 기억을 보관하는 곳이다.

"그러면 나의 기억도 여기에…"

그녀의 기억도? 그녀 역시 잃어버린 것들을 되찾아야 했다. 도윤을 구하려면, 먼저 자신이 누구인지부터 기억해 내야 했다.

서점은 흔들리고 있었다. 책들이 미세하게 흔들리고, 책등 사이에서 먼지가 피어올랐다. 그녀는 책을 가슴에 안고 천천히 서가를 따라 걸었다.

도윤의 흔적, 자신의 기억, 그리고 이 서점의 진짜 정체. 밝힐 것을 그녀는 결심했다.

이제, 잃어버린 기억을 되찾아야 한다. 그리고, 도윤을 찾아야 한다. 그녀의 존재가 흔들리기 시작했지만, 그런데도, 그녀는 이곳을 떠나지 않을 것이다.

왜냐하면, 이곳이 그녀의 '기억'이었기 때문이다.

14화. 두 번째 기억 조각

비가 내리고 있었다. 카페 창문을 타고 흐르는 빗방울이 어두운 유리 위에 희미한 길을 그렸다. 유리창에 반사된 흐릿한 불빛이 찰나의 형상을 만들었다가 사라지고, 그 뒤로 비에 젖은 거리와 희미한 가로등이 아른거렸다. 도윤은 기억 속에서 자신을 바라보았다.

카페 한쪽 구석, 벽에 기대어 앉아 있던 그녀가 있었다. 손끝이 커피잔을 감싸고, 그녀의 손목 위로 소매가 살짝 흘러내렸다. 차가운 조명 아래에서도 희미하게 빛나는 듯한 피부, 가느다란 손목, 창밖을 바라보는 눈빛. 그리고 그 순간, 그의 심장이 불현듯 요동쳤다.

창밖에 비친 그녀의 실루엣은 분명 또렷한데, 얼굴만이 허공처럼 비어 있었다. 마치 검게 칠해진 거울에 비친 잔상이 흐려진 듯했다. 머리카락이 어깨를 타고 흘러내리고, 책장을 넘기는 손끝의 미세한 움직임까지도 선명한데, 그녀의 얼굴만은 마치 존재하지 않는 것처럼 아무것도 보이지 않았다.

그녀는 존재하고 있었다. 하지만 그녀의 흔적이 사라졌다.

도윤은 숨이 가빠졌다. 어딘가 이상했다. 기억은 분명 선명한데, 중요한 것이 사라졌었다. 그는 필사적으로 생각하려고 했다. 그녀의 눈동자는 어땠을까? 길게 뻗은 눈매였을까, 아니면 부드러운 곡선을 그렸을까? 입술은? 말할 때 살짝 올라갔었나, 아니면 담담하게 굳어 있었나? 하지만 아무리 생각해도 그녀의 표정이 떠오르지 않았다.

그 순간, 그녀가 고개를 돌렸다. 입술이 움직였다. 마치 그의 속삭임에 응답이라도 하듯.

"도윤 씨는 말이야, 가끔 너무 멀리 봐."

목소리였다. 부드럽지만 어딘가 날이 선, 익숙한 목소리. 그러나 그 순간에도 그녀의 얼굴은 여전히 흐려져 있었다. 마치 현실과 기억의 틈 사이에서 흔들리고 있는 것처럼.

그녀는 웃고 있었을까? 아니면 진지한 표정을 짓고 있었을까? 그는 더 이상 확신할 수 없었다.

손끝이 저려 왔다. 그는 두 눈을 감고 숨을 들이마셨다. 이건 단순한 망각이 아니었다. 기억은 희미해질 수 있어도, 특정한 부분만 이렇게 완벽하게 지워지는 일은 없다. 마치 누군가가 그의 기억 속에서 그녀를 지워버리기라도 한 듯했다. 그 순간, 귀를 스치는 속삭임이 들렸다.

"도윤."

그는 순간적으로 얼어붙었다. 아주 가까운 거리에서, 너무나 선명한 목소리. 하지만 주위를 둘러봐도 그녀는 없었다. 어쩌면 그녀는 애초부터 존재하지 않았던 걸까? 그는 깨달았다. 이 기억 속에 진짜 기억이 없다는 것을. 그녀는 사라진 것이 아니라, 애초에 존재조차 하지 않았던 걸지도 모른다.

그러나 그는 안다. 그녀는 존재했다. 그는 분명히 그녀를 기억하고 있다. 하지만 지금, 그녀는 흔적도 없이 사라졌다. 기억이 아니라, 현실에서조차도. 그녀는 지워졌다. 그리고 그는 기억의 틈으로 더 깊이 들어가야 했다.

비는 조용히 내리고 있었다. 얇은 물방울이 공기 중에 부유하다가 가로등 불빛을 타고 내려앉았다. 차가운 포석 위로 부딪치는 빗방울이 파문을 만들고, 그 위를 짓밟고 가는 발소리가 순간적인 흔적을 남겼다. 기억 속으로 가라앉는 그날, 도윤은 오래된 서점 앞에서 그녀를 마지막으로 보았다.

그녀는 서점 출입문 앞, 붉게 녹슨 철제 난간 옆에 서 있었다. 검은색 우산을 반쯤 기울이고, 왼손으로 헐겁게 쥔 책 한 권을 가슴께에 끌어안고 있었다. 우산 아래로 흐르는 빗물이 그녀의 검은 머리카락 끝에 매달렸다가 조용히 떨어졌다. 도윤은 발걸음을 멈춘 채 그녀를 바라보았다.

그녀는 입을 떼려고 했지만 망설였다. 도윤은 그 순간을 뚜렷이 기억했다. 입술이 아주 미세하게 떨렸고, 손가락이 움찔했다. 그 미세한 움직임이 마치 기억 속에 각인된 듯 선명하게 떠올랐다. 그녀는 뭔가를 말하고 싶어 했지만 끝내 말하지 못했다.

"나중에 다시 이야기하자."

그가 그렇게 말했던 것 같았다. 아니, 정말 그렇게 말했었나? 순간적으로 떠오른 기억이 너무나도 선명했지만, 그의 입에서 나온 말인지, 그녀의 입에서 나온 말인지 분간할 수 없었다. 마치 기억의 층위가 뒤엉켜 버린 듯한 기분.

그녀는 한 발짝 물러섰다. 책을 움켜쥔 손끝에 힘이 들어갔다. 바람이 불었고, 그녀의 머리칼이 흩날렸다. 그때 그녀가 남긴 마지막 표정. 도윤은 그것을 떠올리려 했지만, 희미한 안개 속에서 그녀의 얼굴은 또다시 흐려졌다.

왜 그녀는 사라졌는가?

그는 자신에게 되묻는다. 왜 그날 이후 그녀를 찾으려 하지 않았을까? 왜 잊으려고 했을까?

어쩌면 그는 그녀를 찾고 싶지 않았던 게 아닐까. 그녀가 사라진 이유를 알고 있었기에, 본능적으로 그것을 외면했던 것이 아닐까. 기억 속의 그는 의도적으로 그녀를 놓아주었고, 그 선택이 그에게 어떤 의미였는지조차 잊어버리려 했던 것이 아닐까.

그가 마지막으로 본 그녀는, 비 오는 서점 앞에서, 책 한 권을 품에 안은 채 어딘가로 사라졌다.

그리고 그는 그날 이후 그녀를 기억에서 지우기 시작했다.

하지만 이제, 기억이 그를 끌어당기고 있다.

그녀가 품에 안고 있던 그 책.

그 책이 단서일지도 모른다. 그녀가 끝내 말하지 못한 그 순간,

그가 외면한 그 기억. 도윤은 문득 깨닫는다. 자신이 찾고 있는 것은 단순한 기억이 아니라, 그 기억 속에서 감춰진 진실이었다는 것을.

그는 천천히 눈을 감고 숨을 들이마신다. 차가운 공기 속에 비 냄새가 가득하다. 그리고 그는 그날의 서점으로 돌아갈 결심을 한다. 거기에 그녀가 남긴 마지막 흔적이 있을 것이다.

도윤은 천천히 눈을 감았다. 기억의 흐름 속에서 스쳐 가는 장면들을 붙잡으려 했지만, 그것들은 손가락 사이로 빠져나가는 물처럼 흩어졌다. 뚜렷한 실루엣이 보일 듯 말 듯 어른거렸고, 그녀의 모습은 안개 속에서 점점 희미해져 갔다. 마치 누군가가 의도적으로 기억의 한 부분을 뜯어낸 것처럼.

그녀는 단순히 떠난 걸까? 아니면, 누군가 그녀에 대한 모든 흔적을 지운 걸까?

도윤은 불현듯 '기억을 지운 것'이 자신일 수도 있다는 생각이 들었다. 누군가가 그의 기억을 조작한 것이 아니라, 그가 스스로 그녀를 지우기로 했던 것은 아닐까? 기억의 어딘가에서 경고하는 듯한 울림이 있었다. 잊어야 한다고. 기억하지 말라고.

그러나 왜? 무엇이 그를 그렇게 만들었을까?

그는 잃어버린 조각을 더듬으며 그녀와 마지막으로 나누었던 대화를 떠올리려 했다. 하지만 기억은 바로 그 직전에서 끊어져 있었다. 그녀가 어떤 표정이었는지, 어떤 목소리로 그에게 말을 걸었는지조차 희미했다. 그의 머릿속에 남은 것은 오직 감각뿐이었다.

비 오는 거리의 습한 냄새. 머리칼을 스치는 바람. 그녀가 움켜쥔 책의 표지가 눅눅하게 젖어 들던 감촉을 느꼈다.

그리고 그가 결코 놓쳐서는 안 되는 말 한마디.

그녀는 마지막으로 무엇을 말했을까?

그는 기억을 짜내듯 떠올려 보지만, 머릿속에는 거대한 공백이 가로놓여 있었다. 그곳에는 아무것도 존재하지 않았다. 정확히 말하면, 존재해야 하는 것이 사라졌었다. 누군가 강제로 기억을 도려낸 것처럼.

도윤은 온몸에 소름이 돋았다. 이것은 단순한 망각이 아니었다. 누군가 그녀를 생각하지 못하도록 만들었다. 그녀의 존재를 지우려 한 것은 단순한 시간이 아니라, 분명한 의도를 가진 누군가였다.

그러나 가장 끔찍한 가능성은 그 '누군가'가 바로 자신일 수도 있다는 사실이었다.

그는 서점의 책장 앞에 서서 한참을 생각했다. 오래된 책들의 냄새가 코끝을 스쳤고, 묵직한 공기가 폐를 눌렀다. 이 서점에서 그는 기억을 되찾기 위해 수많은 단서를 찾았지만, 이제야 깨달았다. 기억을 되찾는다는 것은 단순히 잊어버린 시간을 복원하는 것이 아니었다. 그것은 기억이 사라진 이유를 마주하는 것이었다.

그녀는 왜 사라졌을까?

그녀가 직접 자신의 존재를 지우게 만든 것일까? 아니면, 그가 어떤 이유로 그녀를 잊기로 결심했던 것일까?

진실을 알게 되면, 그는 그것을 감당할 수 있을까?

도윤은 스스로 묻고 또 물었다. 하지만 돌아오는 대답은 없었다.

이제 그에게 남은 선택지는 단 하나였다. 그녀를 찾아야 한다. 그리고 그녀가 사라진 이유를 밝혀야 한다.

하지만, 그는 어렴풋이 느낄 수 있었다.

그녀를 찾아가는 길의 끝에는, 자신조차도 감당할 수 없는 진실이 기다리고 있을 것이라는 사실을 말이다.

도윤은 천천히 눈을 떴다. 마치 깊은 물 속에서 빠져나온 것처럼 머릿속이 몽롱했다. 청연서점의 희미한 등불이 그의 시야에 들어왔다. 익숙한 공간이었지만, 조금 전까지 자신이 있던 세계와는 전혀 다른 느낌이었다. 바닥의 결이 선명하게 느껴졌고, 공기의 냄새조차도 어딘가 다르게 다가왔다.

그는 무언가를 보았고, 그것을 잊으면 안 됐다. 그러나 기억은 그의 손가락 사이로 모래처럼 흘러내리고 있었다.

"돌아왔어요."

정서아의 목소리가 들려왔다. 그녀는 청연서점 한쪽에 서서 도윤을 지켜보고 있었다. 하지만 그녀의 표정은 그 어느 때보다 어두웠다. 도윤은 그녀의 시선을 따라 주변을 둘러보았다. 모든 것이 원래대로였다. 책들은 질서정연하게 꽂혀 있었고, 따뜻한 조명이 공간을 부드럽게 감싸고 있었다. 그러나 보이지 않는 무언가가 여전히 이곳을 감싸고 있는 듯한 기분이 들었다.

"7년 전…. 그녀를 기억해요. 하지만…. 그녀의 얼굴이 보이지 않아요."

도윤은 힘겹게 말했다. 그의 목소리는 확신과 불안 사이에서 흔들렸다. 그는 분명히 그녀를 기억하고 있었다. 그녀와 함께한 순간들, 그녀의 말투, 그녀가 좋아하던 책의 냄새까지도. 하지만 얼굴은 흐릿했고, 이름조차도 명확하지 않았다.

정서아는 깊은숨을 내쉬며 말했다.

"그 기억이 단순히 사라진 게 아니라, 조작된 거라면요?"

도윤은 그녀의 말을 곱씹고 있었다. 기억이 단순히 지워진 것이 아니라, 일부만 변경되었다면? 마치 책 한 페이지가 찢겨 나간 것처럼, 기억 속에서 특정한 부분만 사라져 버린 것이라면?

"그녀가 사라진 이유를 알아야겠어요."

그의 목소리는 결연했다. 진실을 마주하는 것이 두려울 수도 있었다. 하지만 기억의 조각들이 그를 끊임없이 따라다녔다. 그리고 이 모든 것의 중심에 청연서점이 있었다.

정서아는 조용히 고개를 끄덕였다. 그녀 역시 서점의 본질을 완전히 이해하지 못하고 있었다. 어쩌면 그녀 자신도 이곳에 의해 기억을 조작당한 것은 아닐까?

"좋아요. 당신이 기억하는 장소들을 찾아가 봐요. 그곳에 가면, 무언가 남아있을지도 몰라요."

두 사람은 청연서점을 나섰다.

비가 올 듯한 흐린 하늘이 머리 위를 덮고 있었고, 거리는 습기로 가득 차 있었다. 오래된 벽돌 건물들이 줄지어 서 있었고, 좁은 골목길에서는 희미한 빛들이 깜빡였다. 도윤은 천천히 숨을 들이마셨다. 공기 속에는 오래된 종이 냄새와 눅눅한 흙냄새가 섞여 있었다.

그가 첫 번째로 떠올린 장소는 '월광서점'이었다.

그곳은 기억 속에서 그녀와 마지막으로 함께했던 곳이었다. 비가 내리던 거리, 젖은 우산, 그리고 그녀가 마지막으로 그에게 말하려 했던 무언가.

도윤은 익숙한 골목으로 걸어갔다.

"이 거리…. 뭔가 익숙해요."

그는 중얼거렸다. 오래된 건물들, 벽돌이 깨진 담벼락, 그리고 녹슨 간판이 덜컹거리는 작은 가게들. 그의 발걸음이 점점 느려졌다. 기억이 천천히 떠오르기 시작했다.

그날, 그는 그녀를 이 거리에서 바라보았다. 그녀는 비를 맞으며 서 있었고, 무언가를 말하려 했다. 하지만 바로 그 순간, 무언가가 그들의 대화를 방해했다. 그리고 그 뒤의 기억이 완전히 지워져 있었다.

"도윤 씨, 여기인가요?"

정서아가 조심스럽게 물었다.

도윤은 고개를 끄덕였다. 하지만 여전히 퍼즐은 완성되지 않았다.

그는 월광서점의 문을 밀어 열었다. 서점 안에는 낡은 종이 냄새가 가득했다. 빛바랜 책들이 선반에 가득 꽂혀 있었고, 나무 마룻바닥이 삐걱거렸다. 창문 너머로 들어오는 빛은 흐릿했고, 먼지

들이 공중에 부유하고 있었다.

"이곳에서…. 그녀를 마지막으로 보았어요."

도윤이 낮은 목소리로 말했다.

그는 조용히 책장을 훑으며 손끝으로 먼지 쌓인 표지를 어루만졌다. 기억이 떠오를 듯하면서도 잡히지 않았다. 그녀는 분명히 여기에 있었다. 그와 함께 조용히 책을 넘기고 있었고, 무엇인가를 말하려 했다. 하지만 그 순간, 기억이 끊겼다.

"그녀가 마지막으로 본 책이 뭐였는지 기억나요?"

정서아가 물었다.

도윤은 잠시 망설이다가 어느 한 곳을 바라보았다.

그리고 그곳에는 한 권의 책이 놓여 있었다.

그는 천천히 손을 뻗었다. 표지는 낡았고, 제목은 거의 보이지 않았다. 하지만 이 책을 본 순간, 그의 심장이 강하게 요동쳤다.

그가 이 책을 기억하고 있었다.

"이 책…. 그녀가 보고 있던 거예요."

손끝으로 표지를 쓸었다. 순간, 머릿속 깊은 곳에서 무언가 터져 나왔다.

마지막 기억. 그녀의 목소리. 그리고 그가 놓쳤던 단서.

그러나 바로 그 순간, 서점 안의 공기가 변했다.

정서아도 그 변화를 감지한 듯 숨을 멈추었다.

"뭔가 이상해요. 마치…. 이 공간이 기억을 가두고 있는 것처럼."

도윤은 숨을 몰아쉬었다.

그녀가 남긴 마지막 말이 무엇이었는지 떠올릴 수 있을 것만 같았다.

하지만 동시에, 그 기억을 떠올리는 것이 위험할지도 모른다는 예감이 들었다.

그는 책을 펼칠 것인가, 아니면 이곳을 떠날 것인가?

과거의 진실을 마주할 순간이 다가오고 있었다.

도윤은 한 걸음 뒤로 물러나 도로를 바라보았다. 7년 전, 그가 사고를 당한 곳. 그러나 사고라고 부르기엔, 그는 여전히 그 순간을 온전히 기억할 수 없었다.

도로는 세월이 흘렀음에도 불구하고 그날의 풍경을 어렴풋이 간직하고 있었다. 거칠게 패인 아스팔트와 잦은 보수 흔적, 신호등이 바뀔 때마다 반사되는 가로등 불빛, 그리고 그때와 다르지 않게 거리를 가득 채운 자동차들의 흐름. 공기 중에는 습한 아스팔트 냄새와 매캐한 매연이 섞여 있었다.

기억이 떠오를 듯하면서도, 어떤 보이지 않는 장막이 그것을 막아서는 듯했다. 그가 알고 싶어 하지 않기 때문일까, 아니면 누군가가 그것을 허락하지 않기 때문일까.

그는 심호흡하며 도로 한가운데를 바라보았다. 자신이 이곳에서 무엇을 하고 있었는지, 그날 무슨 일이 있었는지 기억해 내야 했다.

"이곳에 감시 카메라가 있었을 텐데요."

정서아가 주변을 살펴보다가 전봇대 위에 붙어 있는 카메라를 가리켰다.

도윤은 시선을 옮겼다. 카메라는 오래된 모델이었고, 렌즈에는 시간이 만든 먼지가 쌓여 있었다. 7년 전에도 저 카메라는 저곳에 있었다. 그는 순간적으로 확신했다.

그러나 그는 이내 고개를 저었다.

"저장 기간이 있잖아요."

"…"

정서아도 곧 그 사실을 깨달았다.

CCTV가 있다고 해서 7년 전 영상을 확인할 수 있는 것은 아니었다. 대부분의 감시 카메라는 일정 기간이 지나면 자동으로 덮어씌워진다. 대형 건물이나 금융 기관이 아니라면 몇 달 이상 보관하는 때도 드물었다.

“그렇다면 기록은 이미 사라져 주겠네요.”
그녀가 조용히 말했다.
그 말에 도윤의 손끝이 떨렸다.
그는 마지막 단서를 찾았다고 생각했지만, 현실은 그를 다시 허무한 공백 속으로 밀어 넣었다.
그는 다시 주변을 둘러보았다.
"기록이 남아있을 수도 있어요. 영상은 없어도, 사고 보고서 같은 문서는 보관되어 있을 가능성이 높아요."
정서아가 냉정하게 말했다.
도윤은 그 말에 희미한 희망을 품었다. 그렇다. 경찰서, 병원, 혹은 사고 당시 출동했던 구급차 기록. 영상이 지워졌다고 해도, 문서는 쉽게 사라지지 않는다.
그러나 그는 곧 또 다른 의문과 마주했다. 사고 당시 그는 병원에서 치료받았을 것이고, 경찰 조사가 있었을 것이다. 그런데 왜 그는 자신이 병원에 실려 갔던 기억도, 경찰서에서 조사받았던 기억도 떠올리지 못하는 걸까?
그는 단순히 사고를 잊은 것이 아니라, ‘사고 이후’의 모든 기록이 사라진 것이다.
"혹시… 기록을 찾지 못할 수도 있어요."
그가 중얼거렸다.
정서아가 그를 빤히 바라보았다.
"무슨 뜻이에요?"
"기억이 사라졌다면, 사고의 기록도 누군가에 의해 삭제됐을 가능성이 있어요."
그 순간, 서늘한 바람이 불었다. 그는 자기 말에 소름이 돋았다.
기억과 현실이 동시에 조작되었다면, 그것은 단순한 사고가 아니었다. 그가 잊어버린 것은 단순한 충격 때문이 아니라, 누군가가 의도적으로 그의 기억을 지웠기 때문이었다.

“이 사고는 단순한 우연이 아니었어요.”

도윤은 확신했다. 그리고 그 사고의 진실을 밝히지 않는 한, 그는 자신의 기억을 완전히 되찾을 수 없을 것이었다.

정서아는 그의 눈빛을 바라보며 입을 열었다.

"그럼, 다음은 어디로 가야 할까요?"

도윤은 그녀를 바라보았다.

그가 마지막으로 기억하는 장소, 그리고 그녀와 마지막으로 만났던 곳이었다.

"청연서점입니다."

도윤은 카페 '비에른'의 문을 밀고 들어서는 순간, 한순간에 시간의 흐름이 비틀리는 느낌을 받았다. 습기 가득한 나무 테이블, 커피와 묵은 종이 냄새, 유리창 너머 희뿌연 하늘. 이곳은 7년 전의 그날과 놀라울 정도로 닮아 있었다. 아니, 그대로였다. 의자가 몇 개 바뀌었을지언정, 공간 자체가 기억을 간직한 채 멈춰 있는 듯했다.

그러나 그는 그날의 기억을 온전히 불러낼 수 없었다. 문득 그는 느꼈다. 테이블과 의자, 바닥에 남은 자잘한 흠집까지도 마치 과거의 자신이 남긴 흔적처럼 보였다. 하지만 가장 중요한 순간만이 뭉개진 듯 흐릿했다.

정서아는 조용히 가게 안을 둘러보았다. 그리고 그의 시선을 따라가다 이곳이 단순한 공간이 아니라, 그가 마지막으로 그녀를 본 장소라는 걸 직감했다.

“이곳에서 그녀를 마지막으로 봤어요?”

그녀의 목소리는 낮고 차분했지만, 도윤은 쉽게 대답하지 못했다. 그는 기억을 떠올리려 하다가도 묘한 불안감을 느꼈다. 기억은 떠오를 듯하면서도, 결정적인 순간에서 멈춰 있었다. 마치 누군가가 그의 정신을 가로막고 있는 듯한 느낌이 들었다. 그날, 그녀가 했던 마지막 말이 떠오를 듯하면서도 사라졌다.

"무엇을 도와드릴까요?"

계산대 뒤에서 묵묵히 서 있던 카페 주인이 낮은 목소리로 물었다. 그는 연륜이 묻어나는 얼굴과 깊은 주름을 가진 중년 남성이었다. 그리고 도윤을 바라보는 시선에는 어딘가 주저함이 서려 있었다. 그는 오래전부터 이곳을 운영했던 사람인 것 같았다.

"혹시… 저를 기억하시나요?"

도윤이 조심스럽게 묻자, 남자의 눈빛이 흔들렸다. 그는 한동안 대답을 망설이다가, 조용히 입을 열었다.

"당신, 7년 전에 여기 왔었어요. 그녀와 함께."

그 순간, 공기 중의 온도가 미세하게 내려가는 느낌이 들었다.

"그녀는… 그날 이후 다시 오지 않았어요."

도윤은 갑자기 심장이 두근거리기 시작했다.

"그날, 저희가 무슨 이야기를 나눴나요?"

그는 애써 침착함을 유지하려 했지만, 목소리가 떨렸다. 카페 주인은 한숨을 쉬었다.

"그날… 무슨 일이 있었는지, 저도 정확히는 몰라요. 다만, 그녀가 마지막으로 했던 말이 인상 깊었어요."

그의 말에 도윤과 정서아는 동시에 숨을 죽였다.

"'기억이 사라진다면, 그건 누군가가 그렇게 만들었기 때문이에요.'"

카페 주인의 말이 끝나자, 도윤의 머릿속이 울렁이듯 흔들렸다.

그날 그녀가 했던 말, 도윤은 그 말을 들은 순간, 머릿속 어딘가가 번뜩였다. 기억이 희미하게 떠오르는 듯했지만, 여전히 조각조각 흩어진 상태였다.

그는 눈을 질끈 감고 손끝을 테이블 위에 올렸다. 그의 손이 미세하게 떨렸다.

정서아는 그의 반응을 조용히 지켜보다가 말했다.

“기억이 떠오르려면, 강한 매개체가 필요해요.”

그녀의 시선이 책장 한쪽을 향했다.

“청연서점의 책을 다시 활용해 볼까요?”

도윤은 눈을 뜨고 그녀를 바라보았다.

“책이… 기억을 되살릴 수 있을까요?”

정서아는 단호하게 고개를 끄덕였다.

“책은 단순한 글자의 집합이 아니에요. 그것은 한때 누군가가 경험한 삶이기도 해요. 만약 당신의 기억이 조작된 거라면, 그 조작된 틈새를 파고들 방법도 있을 거예요.”

그녀의 말은 너무나도 논리적이었지만, 동시에 이질적이었다. 그는 망설였다. 기억을 되찾고 싶다고 생각해 왔지만, 지금, 이 순간, 그는 문득 두려워졌다. 진실을 마주할 준비가 되었을까? 하지만 이젠 멈출 수 없었다.

도윤은 긴 숨을 내쉬며 결심했다.

“좋아요. 그 책을 찾아봐야겠어요.”

그는 손끝을 꽉 쥐었다. 이제 그의 선택은 단 하나뿐이었다. 마지막 퍼즐 조각을 맞추기 위해, 청연서점으로 돌아갔다. 그곳에서 그는 자신의 기억을 되찾을 마지막 열쇠를 찾게 될 것이다. 그러나 그것이 과연 그가 감당할 수 있는 진실일지는 아무도 알 수 없었다.

15화. 숨겨진 기억의 존재

기억이란 원래 그렇게 쉽게 휘발되는 것이었을까. 도윤은 창가에 기대어 서점 '청연서점'의 먼지 쌓인 책장을 바라보았다. 그 속에 분명 어떤 조각이 있었다. 단순한 망각이 아니었다. 그것은 누군가가 고의적으로 잘라낸 흔적과도 같았다.

그녀를 기억해야 했다. 그는 그녀를 사랑했었고, 분명히 함께했던 시간이 있었는데, 왜인지 그 기억은 의도적으로 가려져 있었다. 도윤은 심장이 조여 오는 느낌을 받았다. 마치 무언가가 목을 죄어 오는 듯한 압박감이 들었다.

"내가 사랑했던 그녀가 실종되었을 가능성이 있어."

그의 말에 정서아는 잠시 책장을 정리하던 손을 멈추고, 그의 얼굴을 바라보았다. 그녀의 시선은 흔들림이 없었지만, 아주 미세하게 눈썹이 좁혀졌다.

"실종?"

"그래. 단순히 떠난 게 아니라… 누군가 그녀의 흔적을 지운 것 같아."

그는 불안한 듯 테이블을 손끝으로 두드렸다.

"기억이 사라지는 건 서점의 능력일 수도 있지만, 이것은 느낌이 달라. 마치… 누군가가 일부러 내 기억을 재구성한 것 같아. 그 흔적이 남아있어."

그의 시선은 허공을 더듬듯 불안하게 흔들렸다.

"혹시, 이 서점이 그 기억을 가지고 있을까?"

서아는 책장 쪽으로 천천히 고개를 돌렸다. 서점에는 수천 권의 책들이 있었다. 각기 다른 사람들의 잃어버린 기억이 담긴 책들. 하지만 문제는 그것이었다. 기억이 단순히 사라진 것이 아니라, 지워졌다면?

도윤은 애써 과거의 순간을 떠올리려 했다. 비가 오던 날, 카페 '비에른'에서 그녀와 마지막으로 마주 앉아 있던 순간이 떠오른다. 그때 그녀는 뭔가를 말하려 했지만, 끝내 입을 다물었다.

'기억이 사라진다면, 그건 누군가가 그렇게 만들었기 때문이에요.'

그녀는 그렇게 말했고, 그다음 순간 기억은 희미하게 끊어졌다.

그리고 지금, 그는 다시 그 순간을 떠올리려 했지만, 이번에도 같은 지점에서 기억이 끊어졌다. 마치 누군가가 그 순간을 메스로 도려낸 것 같았다.

"이상해."

그는 손가락으로 관자놀이를 문질렀다.

"내가 기억을 떠올리려고 하면, 거기서 끊겨. 내가 일부러 잊으려고 한 것도 아닌데, 뭔가 가려져 있어."

서아는 한동안 고민하는 듯하더니, 천천히 입을 열었다.

"그럼, 기억을 찾아보자."

"찾는다니, 어떻게?"

그녀는 천천히 책장 한쪽으로 걸어갔다.

"이 서점은 기억을 보관할 수 있어. 하지만 기억이 사라졌다면… 그 공백도 어딘가에는 남아있을 거야."

그녀는 손가락을 책장에 천천히 스치듯 움직였다. 그러다가 멈추었다.

"여기야."

서아가 꺼낸 책은 오래된 가죽 표지의 책이었다. 제목이 없었고, 저자의 이름도 적혀 있지 않았다.

"이게 뭔데?"

도윤이 묻자, 서아는 조용히 책을 펼쳤다. 그러나 이상한 점이 있었다. 책의 내용이 없었다. 페이지는 새하얗게 비어 있었다.

"이 책은…" 서아가 조용히 말했다. "원래 기억을 가지고 있었던 책이야."

"그런데 왜 내용이 없는 거지?"

"누군가가 기억을 가져가 버렸어."

그녀는 책을 손끝으로 천천히 쓸었다.

"이 서점의 책은 원래 기억을 보관해. 하지만… 기억이 지워지면, 이렇게 남아."

그녀의 목소리는 아주 미세하게 흔들렸다.

"그러니까, 내 기억이 여기 있었다는 거야?"

도윤이 책을 들여다보았다. 아무것도 쓰여 있지 않았다. 그러나 어딘가에서 문장들이 희미하게 떠오르는 것 같았다. 그는 천천히 손을 뻗어 페이지를 넘겼다. 그 순간, 서점 내부의 공기가 미세하게 흔들렸다. 그리고 책의 페이지 한쪽에서 흐릿한 글자가 떠올랐다.

'그녀는 마지막으로 나에게…'

그러나 그다음 글자는 사라졌다. 도윤은 숨을 몰아쉬었다.

"봐. 이 기억이 지워진 거야."

그는 책을 단단히 움켜쥐었다.

"난 이제 그 기억을 되찾아야겠어."

정서아는 조용히 그를 바라보았다.

"좋아. 그럼, 마지막으로 그녀를 기억할 수 있는 장소로 가자."

그녀는 책을 닫으며 말했다.

"기억을 잃은 공간이라면, 거기에는 반드시 흔적이 남아있을 거야."

도윤은 단호하게 고개를 끄덕였다. 그의 기억을 지운 사람이 누구인지, 그리고 왜 그녀가 사라져야만 했는지를 밝혀야 했다. 그들이 향해야 할 곳은 단 하나였다. 그녀와 마지막으로 함께 있었던 장소였다. 그리고 그곳에서, 그는 자신의 과거와 마주하게 될 것이었다.

기억의 일부를 되찾았다는 것이, 오히려 더 깊은 혼란을 불러일으킬 수도 있다는 것을 도윤은 이제야 깨닫고 있었다. 잃어버린 조각을 찾을 때마다 무언가 결핍되어 있다는 감각. 마치 자신이 맞춰온 퍼즐 조각이 처음부터 의도적으로 잘못된 그림을 형성하도록 만들어진 그것 같았다.

그는 지금까지 그녀가 '사라졌다'라고 믿어왔다. 하지만 어쩌면 그녀는 사라진 것이 아니라, 그가 스스로 그녀를 지운 것일 수도 있었다. 생각이 여기까지 미치자, 등골이 서늘해졌다. 기억을 잃은 것이 아니라, 스스로 그 기억을 지워야만 했던 이유가 있었다면?

그녀를 사랑했었다. 분명히 그랬다. 그녀와 함께한 기억은 여전히 잔향처럼 남아있었다. 손을 마주 잡았던 순간, 그녀가 자신을 바라보던 눈빛, 그리고 마지막으로 카페에서 했던 말… 하지만 그 마지막 순간만큼은 여전히 공백이었다.

무엇을 들었던 걸까. 그리고 그걸 듣고 그는 무엇을 했던 걸까.

그는 이 서점을 찾지 않았다면, 끝까지 그 공백을 유지한 채 살았을까? 아니면 언젠가는 이 기억이 부유하듯 떠올라, 결국 자신을 파괴했을까.

정서아는 그런 그를 바라보며 조용히 말했다.

"기억이 사라지는 방식에는 두 가지가 있어요. 하나는 단순한 망각이고, 다른 하나는 의도적인 삭제."

그녀의 시선이 서점 한쪽의 오래된 서고로 향했다.

"만약 당신이 누군가에 의해 기억을 지운 게 아니라, 스스로 지운 것이라면…"

도윤은 나직이 웃었다. 하지만 그 웃음에는 조금의 여유도 없었다.

"그럼, 내가 그녀를 지워야 했던 이유를 찾아야겠지."

그는 두 손으로 얼굴을 감싸 쥐었다. 지금까지 그는 자신이 피해자라고 믿어왔다. 누군가가 그의 기억을 조작했고, 그것을 되찾아야 한다고. 하지만 만약 그가 스스로 기억을 지운 것이라면?

그는 가해자일 수도 있었다. 아니면, 그저 누군가의 게임 속에서 역할을 부여받았던 조각에 불과하게 걸 수도 있었다. 그리고 가장 두려운 것은 그녀를 지운 것이 죄책감 때문이었다면? 그녀를 죽였거나, 혹은 그녀를 지켜주지 못했거나. 어떤 이유에서든 그는 그녀를 기억에서 삭제해야만 했다. 머릿속에서 그녀의 목소리가 들리는 듯했다.

"기억이 사라진다면, 그건 누군가가 그렇게 만들었기 때문이에요."

그녀는 무엇을 알고 있었던 걸까. 그리고 그는 왜 그녀를 잊어야만 했을까.

정서아는 책장을 뒤지다가 조심스럽게 한 권의 책을 꺼냈다. 그것은 도윤의 기억과 관련된 책이었다. 하지만 이전처럼 페이지가 공백으로 가득 차 있었다.

"이 책이 다시 채워지려면, 당신이 스스로 기억을 떠올려야 해요."

그녀의 말에 도윤은 천천히 책을 펼쳤다. 그 순간, 공기의 온도가 변했다. 마치 누군가가 서점 안에서 자신을 지켜보고 있는 듯한 기분이 들었다. 그리고 책 속의 공백이 미세하게 요동쳤다. 흐릿한 문장 하나가 떠올랐다.

'그날, 나는 그녀를 보고 있었다. 하지만 그녀는 나를 보고 있지 않았다.'

그리고 다시 문장이 사라졌다. 도윤은 책을 단단히 움켜쥐었다. 그는 더 깊이 기억 속으로 내려가야 했다.

그리고 그가 스스로 기억을 지웠는지, 혹은 누군가가 강제로 지웠는지를 확인해야 했다.

그녀를 지운 것이 자신이라면, 그는 다시 그녀를 기억할 용기가 있을까. 아니면, 그 기억을 되찾은 순간, 그는 다시 한번 그녀를 잃게 될까. 청연서점은 여전히 조용했지만, 그의 머릿속에서는 이미 돌이킬 수 없는 문이 열리고 있었다.

도윤은 조용히 탁자 위의 사진을 내려다보았다. 흑백의 빛바랜 사진 속에서 배경은 선명했으나, 그녀의 얼굴만이 마치 물에 번진 잉크처럼 흐릿했다. 손끝으로 그녀의 형체를 따라가 보았지만, 윤곽조차 명확하지 않았다. 그가 사랑했던 여자. 그녀의 이름은 이서진이었다. 그러나 이 사진은 그가 기억하는 것과는 달랐다. 아니, 그보다 그녀가 진짜 존재했던 사람인지조차 확신할 수 없는 기분이었다. 그녀를 기억하는 건 오직 자신뿐인가? 아니면 그조차도 그녀를 만들어 낸 것은 아닐까?

사진을 몇 번이고 뒤집어 보았지만, 뒷면에는 아무것도 적혀 있지 않았다. 그 순간, 그는 다시금 그 서점, '청연서점'의 책장을 떠올렸다. 그곳에서 펼친 책이 만들어 낸 기억들은 그의 머릿속에 파편처럼 남아있었다. 기억은 진짜였을까? 아니면 단순한 환상이었을까? 도윤은 천천히 숨을 들이쉬었다. 모든 것이 혼란스러웠다.

그는 그녀와 함께했던 장소들을 찾기 시작했다. 카페, 오래된 골목길, 그리고 마지막으로 그녀가 머물렀던 아파트. 그러나 그곳에서 마주한 것은 예상과 달랐다. 사람들은 그녀의 이름을 들을 때마다 잠시 멈칫했다. 어떤 이들은 아예 그녀를 몰랐다고 했고, 어떤 이들은 기억을 더듬는 듯했지만 결국 모호한 대답만을 남겼다.

"아… 이서진 씨요?"

고개를 갸웃하며 말을 삼키는 카페 주인의 얼굴이 낯설었다. 그는 자신이 잘못 찾아온 것은 아닐까, 하는 착각마저 들었다. 하지만 분명했다. 이곳이 맞다.

"7년 전쯤, 여기서 그녀와 함께 있었어요."

"음, 그랬던 것도 같은데… 기억이 잘 안 나네요. 미안해요."

도윤은 주인의 시선이 살짝 흔들리는 것을 놓치지 않았다. 사람들은 무언가를 숨길 때, 무의식적으로 눈을 피하는 법이다. 단순한 망각이 아니다. 그는 확신했다. 누군가 그녀의 존재를 의도적으로 지우려 했다는 것. 그리고 그 작업이 단순히 그의 기억 속에서만 이루어진 것이 아니라, 현실에서도 마찬가지였다.

그는 마지막 희망을 걸고 그녀가 살았던 집을 찾았다. 서아가 뒤에서 조용히 그를 지켜보았다. 도윤은 천천히 문을 열었고, 순간적으로 그의 심장이 철렁 내려앉았다.

그곳은 너무나 깨끗했다.

마치 사람이 한 번도 살지 않은 듯한 공간이었다. 가구들은 반듯이 정리되어 있었고, 먼지 하나 없이 정돈된 책장이 놓여 있었다. 벽에는 어떤 흔적도 남아있지 않았다. 그녀가 사용했을 컵도, 걸려 있어야 할 코트도 보이지 않았다. 마치 누군가가 이곳에서 그녀의 존재를 완벽하게 지워버린 것만 같았다.

도윤은 한 걸음 내디뎠다. 그리고 그 순간, 그의 머릿속에서 기억의 파편이 튀어 올랐다. 아주 짧은 순간이었다. 무언가가 생각해보려고 했지만, 이내 사라졌다. 그는 머리를 감싸 쥐었다.

"이건… 단순한 실종이 아니야."

그녀는 누군가에 의해 사라졌다. 아니, 존재 자체가 지워진 것이다. 그런데도 도윤만이 그녀를 기억하고 있다. 그렇다면 그는 이 기억을 어떻게든 붙잡아야만 했다. 그녀가 존재했다는 사실을 증명할 수 있는 사람이 이제 그밖에 남지 않았다면, 그는 끝까지 그녀를 찾아야 한다. 진실을 밝혀야 한다. 그녀가 정말 사라졌다면, 그는 그녀를 되찾아야 한다.

16화. 서아의 과거

서아는 청연서점의 내부를 천천히 걸었다. 책장 사이로 스며드는 저녁 햇살이 먼지 입자들을 부드럽게 감싸고 있었다. 이곳은 언제나 그녀에게 익숙한 장소였다. 하지만 오늘따라 책장 사이로 흐르는 공기가 낯설게 느껴졌다. 그녀는 손가락을 천천히 책등 위로 미끄러뜨리며 생각했다.

'나는 언제부터 이곳에 있었던 걸까?'

그녀는 마치 처음 하는 질문처럼 스스로 물었다. 청연서점은 언제부터 자기 삶 속에 있었을까? 정확히 기억해 내려 했지만, 그 순간 떠오르는 건 희미한 감각뿐이었다.

서점의 문을 처음 열었던 날, 따뜻한 나무 향기와 먼지가 가득한 공간, 그 사이를 가득 채운 오래된 책들의 기묘한 존재감. 그러나 그 기억 속에 자신은 없었다.

마치 오래된 흑백사진 속에서 얼굴만이 지워진 것처럼 보였다. 서아는 깊은숨을 들이쉬었다. 기억을 떠올리려 할수록 그 틈새에 검은 안개가 밀려들어 오는 듯한 기분이었다. 가끔은 어릴 적의 자신이 서점 안을 뛰어다니던 모습이 어렴풋이 보였고, 때로는 성인이 된 자신이 책을 정리하는 모습이 떠올랐다. 하지만 그 두 시점 사이에 어떤 연결점도 찾을 수 없었다.

"나는… 언제부터 이곳에 있었지?"

입술 사이로 무심코 새어 나온 말이 공간에 부딪혀 메아리처럼 울렸다. 그 순간, 책장 한쪽에서 책 한 권이 스르륵 미끄러지듯 떨어졌다. 서아는 깜짝 놀라 뒤돌아보았다. 책은 낡은 가죽 표지를 두르고 있었고, 제목이 희미하게 지워져 있었다.

그녀는 천천히 책을 들어 올려 펼쳤다. 페이지 사이로 흐르는 오래된 종이 냄새가 코끝을 스쳤다. 그러나 가장 충격적인 것은,

그 속에 적힌 이름이었다.

'정서아'

그녀의 이름이었다. 이름이 적힌 페이지는 공백으로 가득 차 있었다. 마치 글자들이 사라진 듯한 공간, 그리고 그 아래에 흐릿한 필체로 남겨진 한 문장이 있었다.

"기억을 찾으면 대가를 치르게 된다."

서아는 손끝이 떨리는 것을 느꼈다. 이 서점은 단순한 책방이 아니었다. 기억을 조작하고 보관하는 장소. 수많은 사람이 이곳을 찾아와 기억을 지우거나 되찾으려 했다. 하지만 정작 자신은 어떤 기억을 지워왔던 걸까?

그녀는 필사적으로 생각을 했다. 하지만 갈수록 머릿속이 텅 비는 기분이었다. 그녀의 기억이 지워진 이유는 무엇일까? 그리고 그 기억을 되찾았을 때, 어떤 대가를 치르게 될까? 서아는 책을 힘껏 닫았다.

이제 그녀는 알아야 했다. 자신이 언제부터 이곳에 있었는지, 그리고 서점이 그녀에게 어떤 의미를 지닌 곳인지. 그녀의 과거는 이제 더 이상 안전한 미궁 속에 머물러 있을 수 없었다.

서고 깊숙한 곳, 오랜 시간 닫혀 있던 문이 삐걱거리는 소리를 내며 열렸다. 안쪽에는 바깥보다 더 짙은 먼지와 오래된 종이 냄새가 가득했다. 희미한 불빛 아래, 책장들은 마치 오랜 세월을 견디며 웅크린 생명체들처럼 자리하고 있었다. 도윤은 손전등을 들어 어둠을 비추며 천천히 안으로 들어갔다. 서아는 조심스럽게 그의 뒤를 따랐다.

"이곳은… 나도 거의 들어오지 않았던 곳이야."

서아의 목소리는 낮았지만, 공간 속에 부딪혀 메아리처럼 번졌다. 그녀는 서점의 구석구석을 누구보다도 잘 알고 있다고 생각했지만, 이 서고 깊숙한 곳만큼은 무언가가 자신을 밀어내는 듯한 기분이 들어 애써 왜 면해왔었다. 그러나 오늘은 다르다. 그녀는 이제 서점과 자신이 어떤 관계에 있는지 반드시 알아야만 했다.

책장 한쪽에 작은 나무 상자가 놓여 있었다. 서아는 조심스럽게 그것을 열었다. 안에는 여러 장의 문서가 가지런히 놓여 있었고, 가장 위쪽에 있는 문서의 가장자리는 이미 바스러질 듯 낡아 있었다.

도윤은 책장 옆에 서서 그녀의 행동을 지켜보았다. 문서를 접어 든 서아의 손이 미세하게 떨렸다. 손가락 끝이 닿자, 종이 위의 먼지가 천천히 흩어졌다.

"이건…."

서아는 눈을 가늘게 뜨고 문서를 읽기 시작했다. 처음에는 서점의 역사에 대한 기록이었다. 청연서점은 단순한 책방이 아니었다. 여기는 기억을 다루는 공간이었다. 책을 통해 기억을 지우거나 흐리게 만들 수 있었지만, 그것을 되찾는 것은 불가능하다고 여겨져 왔다. 그러나 기록의 후반부에는 전혀 다른 이야기가 적혀 있었다.

'기억을 지닌 사람과 서점은 연결된다. 시간이 흐를수록 서점은 기억의 일부를 흡수하고, 때때로 기억의 주체는 서점과 하나가 되기도 한다.'

서아는 문장을 따라가던 시선을 갑자기 멈췄다.

문서의 한 부분에 자신의 이름이 적혀 있었다.

정서아.

그녀는 손에 들고 있던 문서가 갑자기 낯설게 느껴졌다. 마치 그것이 그녀의 것이 아니라, 오랜 세월 동안 묻혀 있다가 이제야 그녀를 찾아온 듯한 기분이었다.

"내 이름이 여기에 있어."

도윤이 그녀의 옆으로 다가왔다. 문서를 내려다본 그는 무언가 깨달은 듯한 표정을 지었다.

"그렇다면, 네가 이 서점과 연결되어 있다는 뜻인가?"

서아는 대답하지 못했다. 머릿속이 복잡해졌다. 그녀는 단순히 이곳을 운영하는 사람이 아니었다. 청연서점은 단순한 기억의 서고가 아니었다. 그녀는 자신이 언제부터 이곳에서 일하기 시작했는지 정확히 기억할 수 없었다. 서점이 그녀를 선택한 것인지, 아니면 그녀가 스스로 이곳에 남기로 한 것인지도 알 수 없었다.

만약 이 서점이 기억을 보관하고 조작하는 공간이라면, 그리고 시간이 흐를수록 주인과 서점이 하나가 될 수도 있다면, 그녀는 단순한 '서점의 주인'이 아니라, 이곳 일부가 되어가고 있는 것은 아닐까?

그녀가 잃어버린 기억들은, 정말로 그녀의 것이었을까? 그녀는 자신이 누구인지 알고 있는 걸까? 손에 든 문서가 흔들렸다. 종이 위의 잉크가 오래된 시간 속에서도 선명하게 남아있는 것이 아이러니했다.

"도윤."

서아는 조용히 그의 이름을 불렀다.

"내가… 기억을 잃은 이유가, 이 서점 때문일지도 몰라."

도윤은 아무 말 없이 그녀를 바라보았다. 그의 눈 속에는 의문과 함께, 이해할 수 없는 불안이 서려 있었다. 서점은 단순히 기억을 보관하는 곳이 아니었다. 서점과 연결된 사람은, 기억을 잃을 수도 있었다.

그리고 그녀가 언제부터 이곳에 있었는지를 기억할 수 없는 이유는, 어쩌면 그녀가 이 서점의 일부가 되어버린 것일지도 몰랐다.

회색빛 저녁이 서점 유리창을 타고 스며들었다. 어둠이 천천히 바닥을 덮으며 서점 안의 가구들을 길고 불완전한 그림자로 만들었다. 책장들은 저마다의 그림자를 품고 있었고, 오래된 종이 냄새가 무겁게 공기 속에 가라앉아 있었다. 서아는 가만히 책상에 놓인 문서를 바라보았다. 노란빛으로 바랜 종이가 마치 살아있는 것처럼 미세하게 떨리고 있었다.

손끝으로 종이를 쓸어내리던 그녀의 손이 잠시 멈추었다. 문서의 한 페이지를 넘기려다, 순간적으로 가슴이 조여드는 듯한 기분이 들었다.

'이곳을 맡게 된 이유는, 단순한 우연이 아니야.'

그녀는 눈을 감았다. 머릿속 어딘가에서 희미한 기억이 떠오르려 했다. 하지만 마치 가느다란 실을 잡으려 할 때처럼, 손에 쥐기도 전에 흩어져 사라졌다.

그녀는 항상 이 서점에 있어 왔다. 아니, 그랬던 것 같았다. 언제부터 이곳을 맡았는지 정확히 기억할 수 없었다. 오랫동안 서점을 운영해 온 사람처럼 익숙했지만, 과연 처음부터 서점을 운영할 운명이었을까? 그녀가 원해서 시작한 것이었을까? 아니면, 누군가가 그녀를 이곳으로 이끈 것일까? 도윤이 책장 사이에서 나지막한 목소리로 말했다.

"서아, 네 이름이 문서에 적혀 있었어."

그녀는 문득 현실로 돌아왔다. 천천히 고개를 들어 도윤이 들고 있는 책을 바라보았다. 오래된 표지가 손때로 닳아 있는 책이었다. 책을 펼친 그는 손가락으로 한 줄을 짚었다.

'이 서점은 기억을 잃은 사람과 연결된다.'

그녀는 조용히 다가갔다. 문장 하나하나를 천천히 따라 읽었다. 그리고 다음 페이지를 넘기려는 순간, 깊은 울림이 가슴속에서 퍼져나갔다.

이 서점이 단순한 책방이 아니라는 사실은 이미 알고 있었다. 사람들의 기억을 조작하고, 때로는 지워진 기억을 어렴풋이 남겨 놓기도 했다. 하지만 이 문장은 다른 의미였다.

이 서점은 기억을 잃은 '누군가'가 운영하게 되어 있었다.

"그럼, 난…"

서아는 숨을 삼켰다. 그녀 역시 과거에 기억을 잃었고, 그 결과이 서점과 연결된 것이 아닐까? 그녀가 맡게 된 것이 운명이 아니라면, 과연 누구에 의해, 어떤 이유로 이곳에 남게 된 것일까?

"서아, 네가 기억을 잃은 이유가 이 서점 때문일 가능성이 커."

도윤의 말에 그녀는 천천히 고개를 끄덕였다. 어쩌면, 이곳은 그녀에게 어떤 사명을 부여했을 수도 있었다. 기억을 찾고 싶어 하는 사람들에게 길을 열어주고, 기억을 지우고 싶어 하는 사람들에게 대가를 치르게 하는 서점이었다.

그녀는 책장 너머를 바라보았다. 책들은 미묘한 리듬을 타듯 흔들리고 있었다. 이곳은 단순한 장소가 아니라, 살아있는 듯한 공간이었다. 마치 숨을 쉬듯, 책장들이 미세하게 떨리고 있었다.

그 순간, 서점이 그녀에게 무언가 신호를 보내고 있다는 확신이 들었다.

'내가 기억을 잃은 이유… 그리고 이 서점의 진짜 역할… 그 모든 것이 결국 나와 연결된 거야.'

그녀는 이제 도망칠 수 없다는 것을 깨달았다. 이곳을 떠난다면 그녀가 원래 누구였는지 알 수 없을 것이다. 하지만 남는다면, 더 깊은 진실과 마주해야 한다. 그녀가 감당할 수 없는 것들까지도.

작은 손짓 하나로 책이 떨어졌다. 마치 의도된 것처럼, 그녀의 발치에 한 권의 책이 내려앉았다. 그녀는 조용히 허리를 숙여 그 책을 집었다. 표지에 적힌 글씨는 이미 흐려졌고, 오래된 세월의 흔적이 고스란히 남아있었다.

그녀는 그 책을 펼쳤다. 그리고 그 속에서, 자신이 기억하지 못했던 이름을 발견했다. 순간, 머릿속이 희미한 빛으로 일렁였다. 그녀의 기억 속에서 누군가가 깨어나고 있었다.

17장. 기억의 조작

청연서점의 공기가 무겁게 가라앉았다. 책장들 사이를 스치는 공기가 유난히 서늘했고, 마치 무언가를 경고하는 듯한 압력이 공간을 조였다. 책들의 속삭임이 들리는 듯했다. 오래된 종이들이 겹겹이 쌓여 있는 듯한 미묘한 소리. 그것은 때때로 부드러운 숨결 같았고, 때때로 낡은 나무가 삐걱거리는 것처럼 불안한 떨림을 만들어 냈다.

도윤은 서점의 가장 깊은 곳, 금지된 공간으로 향했다. 평소에는 접근할 수 없었던 서고였다. 서아는 그를 막아섰다.

"도윤, 거기까지 가는 건 위험해. 서점이 원하지 않을 거야."

그녀의 목소리는 평소보다 낮고 조용했다. 하지만 그 안에는 확실한 두려움이 서려 있었다. 도윤은 그녀를 똑바로 바라보았다. 그의 눈빛은 결의에 차 있었지만, 한편으로는 흔들리는 감정도 스며 있었다.

"이제 멈출 수 없어. 마지막 조각만 찾으면, 모든 것이 명확해질 거야."

그는 자기 말을 되뇌며 서아를 지나쳤다. 그녀는 더 이상 말리지 않았다. 책장의 흐름을 따라가며 깊숙한 곳으로 걸음을 옮길수록, 공간이 점점 더 낯설어졌다. 서점은 이상하게도 조용했다. 아니, 마치 숨을 죽이고 그를 지켜보고 있는 것 같았다. 그가 발을 내디딜 때마다 바닥은 미세하게 흔들리는 듯했고, 어둠이 깊어질수록 시간조차 느리게 흐르는 것 같았다.

그리고 그곳에서, 그는 마침내 마지막 기억이 봉인된 책을 발견했다. 그것은 유난히 오래된 가죽 표지를 가지고 있었다. 제목은 희미하게 사라졌고, 책의 등은 마치 오랜 시간을 견디며 부서질 듯한 질감을 가지고 있었다. 손을 뻗자, 가죽의 감촉이 손끝에 생생하게 닿았다. 차가운 듯하면서도 기묘한 따뜻함이 배어 있는 촉감. 도윤은 숨을 들이마시며 천천히 책을 들어 올렸다.

그러나, 책을 펼치려는 순간. 서점이 마치 거부하는 듯한 반응을 보였다. 공간이 일그러지며, 서가들이 무너질 듯 흔들렸다. 바람이 불지도 않는데 먼지가 일어났고, 책들이 떨리듯 미세한 진동을 보였다. 서점이 그를 밀어내려는 것을 느꼈다. 그 순간, 서아가 외쳤다.

"도윤, 그 책을 열면…"

그러나 그녀의 목소리는 공간의 일그러짐 속에 삼켜졌다. 책을 펼치는 것은 가능했다. 하지만, 그것이 어떤 대가를 가져올지 아무도 알 수 없었다. 그의 손끝이 마지막 페이지에 닿았다. 그리고 그 순간, 공간이 완전히 뒤틀리기 시작했다.

청연서점의 깊은 곳, 시간이 멈춘 듯한 정적이 흐르는 공간. 도윤은 눈앞에 놓인 책을 마주한 채 깊은 호흡을 내쉬었다. 손끝은 아직도 책의 가죽 표지 위에 머물러 있었지만, 그것을 펼치는 순간 무언가 돌이킬 수 없는 일이 벌어질 것 같은 불길한 기운이 감돌았다.

서아는 그를 붙잡았다. 그녀의 손끝이 떨리고 있었다. 마치 차가운 공기가 손끝에 닿아 미세한 전율을 일으킬 듯, 그녀의 눈빛도 불안과 망설임으로 일렁였다.

"기억을 되찾으면, 반드시 다른 기억을 영원히 잃게 될 거야."

그녀의 목소리는 낮았지만 단호했다. 마치 오래전부터 알고 있었던 규칙을 다시금 확인하듯, 그녀는 그 경고를 반복했다. 도윤의 눈동자가 흔들렸다.

그는 알았다. 이곳이 단순한 서점이 아니라는 것을. 그리고 이 책이 단순한 기록이 아니라는 것도. 이곳은 기억을 보관하는 공간이자, 잃어버린 시간을 복원할 수 있는 장소였다. 그러나 동시에,

무언가를 얻기 위해서는 반드시 무언가를 잃어야 한다는 잔인한 법칙이 존재했다. 그는 속으로 묻고 있었다.

"내가 되찾아야 하는 기억이 있다면, 잃게 될 기억은 무엇일까?"

서아는 그의 표정을 읽었다. 그녀 역시 정답을 알지 못했다. 하지만 그녀는 오래전부터 이 서점의 법칙을 알고 있었다. 기억을 되찾고자 하는 갈망이 강할수록, 잃어야 하는 기억 또한 중요할 가능성이 크다는 사실이다.

도윤은 선택의 갈림길에 서 있었다. 7년 전의 진실, 사라진 그녀의 흔적, 그리고 지워진 과거. 그것을 되찾지 않으면 앞으로 나아갈 수 없을 것만 같았다. 하지만 동시에, 자신이 알지 못하는 또 다른 소중한 기억이 영원히 사라질 수도 있었다.

그의 손가락이 서서히 책장을 넘기려 할 때, 서점 전체가 흔들리는 듯한 착각이 들었다. 서가들이 미세하게 떨리고, 바람도 없는데 먼지가 일어났다. 서점이 스스로 반응하고 있었다.

"네가 정말 감당할 수 있겠어?"

서아의 목소리는 간절했다. 하지만 도윤은 이미 너무 멀리 와버렸다. 그는 천천히 눈을 감고, 한 페이지를 펼쳤다.

그 순간, 기억의 파편들이 마치 현실로 쏟아져 들어오는 것처럼 그의 머릿속으로 몰려왔다. 시간이 왜곡되고, 공간이 흔들렸다. 과거의 장면들이 흩어진 빛처럼 눈앞에서 형체를 갖추기 시작했다.

그리고 그는 마침내, 자신이 가장 원했던 기억과 마주했다. 하지만 동시에, 또 하나의 기억이 그 안에서 사라지고 있었다. 도윤은, 그것이 무엇인지 깨닫기도 전에, 청연서점의 깊은 곳, 무겁게 내려앉은 정적이 공간을 짓눌렀다. 책장은 마치 누군가의 숨결을 간직한 듯 미세하게 떨리고 있었고, 바닥을 스치는 먼지는 공중에 떠올라 빛을 받아 흩어졌다. 도윤은 책을 손에 든 채 깊은숨을 들이마셨다. 손끝이 책의 가죽 표지를 쓸어내릴 때, 차가운 감촉이 그의 피부를 타고 전해졌다. 오랫동안 닫혀 있었던, 그리고 다시는 열리지 말았어야 할 문을 여는 듯한 기분이었다.

책을 펼치는 순간, 바람도 들지 않는 서점 안에서 갑자기 공기가 뒤틀리기 시작했다. 가느다란 책장이 흔들리고, 서가에 꽂혀 있던 책들이 기묘한 소리를 내며 미세하게 움직였다. 서아는 본능적으로 한 걸음 물러섰다. 그녀의 손끝이 떨리고 있었다. 마치 차가운 공기가 바늘 바람이 되어서 살갗을 파고드는 듯한 예리한 느낌이었다.

"도윤, 멈춰야 해."

그녀는 간절하게 말했다. 하지만 도윤의 눈빛은 이미 결심이 섰다. 그는 이 순간을 위해 여기까지 왔다. 이 기억을 되찾기 위해, 그가 잃어버린 조각을 되찾기 위해 얼마나 달려왔는가?

그리고 책이 펼치자, 모든 것이 무너져 내렸다.

순간, 그의 머릿속에서 폭발하듯 기억의 파편들이 쏟아졌다. 7년 전, 흐릿한 시간이 빠르게 형체를 갖추고 되살아났다. 한 장면, 그리고 또 다른 장면. 도윤은 그 속에서 뛰어다니듯 기억을 좇았다. 빗속에서 누군가를 안고 있던 자신. 어딘가를 향해 뛰어가는 발소리. 마지막으로 본 얼굴이 있었다.

그리고 그는 깨달았다. 그는 누군가를 지키기 위해서, 혹은 어떤 진실을 은폐하기 위해 스스로 기억을 지웠다는 사실을. 그 기억은 단순한 상실이 아니었다. 그것은 의도적인 망각이었다. 자신이 선택했던 것, 그리고 누군가가 그에게 강요했었다.

그러나 기억이 되돌아오는 순간, 다른 기억이 조용히 사라지기 시작했다. 처음에는 희미한 감각이었다. 머릿속에서 무언가가 서서히 지워지는 듯한 느낌. 어떤 장면이 떠올랐다가 흐려지고, 누군가의 얼굴이 스쳐 지나갔다가 희미해졌다. 중요한 무언가를 잃고 있다는 불안감이 조용한 파도처럼 밀려왔다.

"이건 뭐지…?"

그는 자신의 기억이 점차 흐려지고 있다는 사실을 감지했지만,

정확히 무엇이 사라지고 있는지는 알 수 없었다. 머릿속에선 무언가가 빠져나가는 듯한 느낌이 들었고, 그것을 붙잡으려 할수록 더 미끄러져 나갔다. 그 순간, 서아의 목소리가 저 멀리서 들려왔다.

"무엇을 잃었는지조차 기억할 수 없을 거야."

그녀의 목소리는 마치 물속에서 들리는 것처럼 멀고 아득하게 들렸다. 그리고 모든 것이 끝났다.

그는 다시 현실로 돌아왔다. 책은 닫혀 있었고, 서점은 이전처럼 고요했으며, 어둠 속에서 바람 한 점 없이 정적만이 가라앉아 있었다. 그러나 도윤은 뭔가가 변했다는 걸 느낄 수 있었다.

그는 기억을 되찾았다. 하지만 동시에, 무언가를 잃었다. 그가 잃어버린 것이 무엇인지, 그것이 단순한 희생인지, 아니면 더 깊은 진실을 감춘 또 다른 장막인지. 그는 알지 못했다. 그저, 마음 한구석이 텅 빈 듯한 공허함이 그를 휘감고 있었다.

18화. 가장 소중한 기억

청연서점의 깊은 밤은 유난히 고요했다. 책장 사이로 흐르는 공기는 무겁고 서늘하며, 마치 책들 사이를 배회하는 보이지 않는 존재가 무언가를 기다리고 있는 듯했다. 도윤은 테이블에 앉아 손에 쥔 책을 바라보았다. 표지는 오래된 가죽처럼 거칠었고, 모서리는 세월에 닳아 있었다. 그의 손끝이 책장을 넘길 때마다 공기 중에서 잊혔던 시간이 부유하며 퍼져나가는 듯한 기분이 들었다.

기억은 단순한 영상이 아니었다. 그것은 향기였고, 감촉이었고, 그리고 무엇보다도 감정이었다. 그의 머릿속에는 선명하게 떠오르는 장면이 있었다. 7년 전, 비가 내리던 저녁, 흐릿한 가로등 불빛 아래에서 그녀와 마주 앉아 있던 순간. 손가락이 닿을 듯 말 듯한 거리, 빗물에 젖은 그녀의 머리카락, 그리고 미처 다 하지 못한 말들.

"어떤 일이 있어도, 나를 잊지 않겠다고 약속해 줘."

그녀의 목소리는 그의 의식 속에서 메아리쳤다. 너무나 선명해서, 마치 지금 바로 옆에서 속삭이는 것만 같았다. 그 순간, 도윤은 깨달았다. 그가 찾고 있던 것은 단순한 기억이 아니었다. 그것은 약속이었다.

그는 과거를 회상하며 자신이 기억을 지운 이유를 되짚었다. 단순한 망각이 아니었다. 그날, 그는 어떤 선택을 해야 했고, 그 선택의 대가로 그녀의 존재를 완전히 지워야만 했다. 그리고 지금, 기억을 되찾았지만, 그 기억을 품은 채 살아가야 할 것인지 고민하고 있었다.

서아는 조용히 그를 지켜보았다. 그녀는 말없이 책장 옆에 서서, 도윤이 다시 기억과 현실 사이에서 갈등하는 모습을 지켜보고 있었다. 그녀는 알고 있었다. 기억을 되찾는다는 것이 단순한 회상의 문제가 아니라, 그것을 감당하는 일이라는 것을. 도윤이 기억을 되찾고 나면, 그는 과거와 마주해야 한다.

"이제 어쩔 거야?" 그녀가 조용히 물었다.

도윤은 한동안 아무 대답도 하지 않았다. 대신 그는 손에 쥔 책을 천천히 덮으며 깊은숨을 들이마셨다. 기억을 되찾은 것이 정말로 그에게 해답을 준 것일까? 오히려 더 깊은 상처를 남긴 것은 아닐까?

그러나 그는 알았다. 이제 더 이상 도망칠 수 없다는 것을. 그리고 언젠가, 이 기억을 품고 앞으로 나아가야 한다는 것을.

"모르겠어." 도윤이 천천히 말했다. "하지만 이제… 최소한 기억할 수는 있어."

그것이 전부일지도 몰랐다. 하지만, 그것이 전부가 아닐 수도 있었다. 밖에서는 새벽이 오고 있었다. 차가운 바람이 서점의 문틈 사이로 스며들었고, 먼지 낀 창문에 희미한 새벽빛이 내려앉았다. 기억은 이제 사라지지 않았다. 그리고 도윤은 그것을 안고 살아가야 했다.

청연서점의 공기는 무겁게 가라앉아 있었다. 책장 사이로 스며든 바람은 종이 위를 미끄러지듯 흐르며, 마치 이곳에 존재하는 수많은 기억을 깨우려는 듯했다. 어두운 조명이 길게 그림자를 늘어뜨리고, 먼지 낀 창문 너머로 새벽이 서서히 모습을 드러내고 있었다. 그러나 도윤의 내면은 아직 밤의 심연 속에 갇혀 있었다.

그는 테이블 위에 놓인 책을 바라보았다. 그 책이 품고 있던 기억은 이제 그의 것이었다. 7년 전, 비 오는 골목에서 그녀와 나눴던 마지막 대화, 그리고 자신이 스스로 그녀를 지웠다는 사실이, 모든 조각이 맞춰진 순간, 그는 깨달았다. 기억을 되찾는 것은 그가 바라던 결말이 아니었다.

"만약 내가 이 기억을 계속 간직한다면, 난 다시 과거에 묶이게 될 거야."

그의 목소리는 낮고 단호했지만, 미세하게 떨렸다. 되찾은 기억이 곧 그를 과거로 끌어당길 것을 알고 있었다. 지금까지 그는 이 기억을 찾기 위해 모든 것을 걸었지만, 이제는 그 기억이 자신을 구속하는 족쇄가 될 수도 있었다. 과거는 존재하는 것만으로도 사람을 삼켜버릴 수 있는 힘을 가지고 있었다.

서아는 조용히 그를 바라보았다. 그녀의 눈동자는 흔들림 없이 고요했지만, 그 안에는 설명할 수 없는 감정이 어른거렸다.

"기억은 단순한 정보가 아니라, 우리가 누구인지 결정하는 조각이야." 그녀는 천천히 말했다. "네가 선택해야 해. 과거를 품고 갈 것인지, 아니면 떠나보낼 것인지."

그녀의 말은 차분했지만, 무게를 지니고 있었다. 기억은 단순한 기록이 아니다. 그것은 감정과 의미의 총합이며, 결국 한 사람의 존재를 형성하는 요소였다. 도윤은 서아의 말을 되새기며 손가락을 책 위에 올려놓았다.

책의 표면은 차가웠다. 그리고 그 차가움이 곧 그의 심장 깊은 곳까지 스며드는 듯했다. 기억을 간직한다면, 그는 다시 과거의 자신이 될 것이고, 그녀와의 약속을 품고 살아가야 한다. 하지만 그것이 과연 올바른 선택일까?

그는 긴 침묵 끝에 천천히 눈을 감았다. 그리고 마침내, 조용히 손을 거두며 책을 덮었다.

"이제 보내줄게."

그의 목소리는 낮았지만 확고했다. 과거는 그를 다시 품으려 했지만, 그는 현재를 선택하기로 했다. 기억이 없다고 해서 그가 그녀를 사랑하지 않은 것이 아니었고, 잊는다고 해서 그녀가 존재하지 않았던 것이 아니었다. 그녀는 그의 일부였고, 그는 그 사실을 받아들이기로 했다.

서아는 아무 말 없이 고개를 끄덕였다. 그 순간, 청연서점의 공기가 미묘하게 바뀌었다. 책장 사이를 흐르던 바람이 멈추고, 오래된 가죽 제본의 책들이 미세하게 흔들렸다. 그리고 마치 그 순간을 기다렸다는 듯, 도윤의 앞에 놓인 책이 조용히 사라졌다.

그는 마지막으로 그것을 바라보며 묵묵히 자리에서 일어섰다. 기억을 되찾는 것이 중요한 것이 아니라, 그 기억을 가지고 어떻게 살아갈 것인가가 더 중요한 일이었다.

밖으로 나서자, 새벽 공기가 폐부 깊숙이 스며들었다. 먼지 냄새가 희미하게 섞인 서점의 공기와는 다른, 차갑고도 선명한 공기였다. 그는 눈을 감고 깊이 숨을 들이마셨다. 그리고 그 순간, 그의 어깨를 짓누르던 무언가가 천천히 사라지는 듯했다.

서아는 서점 안에서 그를 조용히 바라보았다. 창문 틈으로 새어 들어오는 새벽빛이 그녀의 얼굴을 부드럽게 감싸고 있었다. 그녀 역시 깨닫고 있었다. 기억을 되찾고, 다시 잃는 과정에서, 우리는 모두 다시 한번 선택해야만 했다. 도윤은 문 앞에서 멈춰 섰다. 그리고 마지막으로 조용히 속삭였다.

"잘 지내."

그의 목소리는 누구에게 향한 것인지 알 수 없었다. 하지만 그는 알았다. 이제 그는, 앞으로 나아가만 할 거인 것을 알았다.

청연서점의 문이 조용히 흔들렸다. 오래된 나무 문이 바람에 삐걱거리며 낮게 신음하는 소리를 냈다. 창가로부터 스며든 빛이 희미하게 서점 안을 가로질렀고, 책장의 그림자들은 마치 살아있는 듯 벽을 따라 일렁였다. 공기는 무겁고 고 청량했다. 도윤은 그 중심에 서 있었다.

그는 오랜 시간 동안 찾고자 했던 기억을 되찾았다. 단순한 단서 하나가 아니라, 그의 존재를 송두리째 흔들어 놓을 만한 진실이었다. 기억을 되찾는 것이 목적이라고 믿었지만, 인제 와서 깨닫는다. 그것이 끝이 아니라, 새로운 선택의 시작이었음을.

그는 책장 한가운데 멈춰 서서 서아를 바라보았다. 그녀의 손끝이 살짝 떨리고 있었다. 표정은 평온했지만, 눈빛은 깊은 곳에서 흔들리고 있었다. 마치 그 역시 결정을 내려야 한다는 것을 알고 있는 듯했다. 도윤은 숨을 깊이 들이마셨다. 서점의 냄새가 그의 폐를 채웠다. 낡은 종이와 먼지, 그리고 어쩐지 익숙한 향기를 맡았다.

"난… 기억을 완전히 없애지 않을 거야."

그의 목소리는 육중하게 울렸다. 그는 더 이상 도망치려 하지 않았다.

"그 기억을 안고 살아가기로 했어. 과거에 묶이지 않겠지만, 그렇다고 완전히 지워버리지는 않겠어. 내가 그 기억을 되찾으려 했던 이유가 단순한 집착이 아니라… 그녀와 했던 약속을 지키기 위해서였다는 걸 이제야 알았어."

그는 조용히 손을 들어 책장 너머로 빛이 들어오는 곳을 바라보았다. 저 문 너머의 세상은 변함없지만, 그가 보고 있는 세상은 이제 달랐다. 기억을 쫓아 여기까지 왔고, 과거를 되찾기 위해 수많은 시간을 보냈다. 하지만 진실을 마주한 지금, 그는 더 이상 그 기억을 부여잡고 서 있지 않기로 했다. 서아는 그를 바라보며 천천히 고개를 끄덕였다.

"기억을 되찾는 건 목적이 아니라, 새로운 길을 찾기 위한 과정이었나 보네."

그녀의 말에 도윤은 미소를 지었다. 그의 마음속에서 무언가 조용히 정리되고 있었다. 기억을 품은 채 앞으로 나아가기로 한 그의 선택이 확고해졌다.

그는 천천히 걸어가 서점의 문을 열었다. 바람이 그의 뺨을 스쳤고, 밤과 새벽의 경계에서 몽환적으로 번지는 불빛이 눈앞을 가득 채웠다. 그는 다시 서점 안을 돌아보았다.

"고마워."

그것이 서아에게 한 말인지, 아니면 서점 자체에 대한 인사인지, 혹은 과거의 그녀를 향한 마지막 인사인지조차 그는 알 수 없었다.

19화. 마지막 선택

청연서점의 공기가 묵직하게 가라앉아 있었다. 오래된 서가들 사이로 가느다란 빛이 스며들었지만, 그것마저도 공간 속에 갇힌 듯 움직이지 않았다. 책장은 질서를 잃은 채 흔들렸고, 서점 전체가 무언가를 기다리는 듯한 느낌을 풍겼다. 마치 이곳의 모든 책과 가구, 그리고 먼지마저도 도윤의 결정을 지켜보는 듯했다.

그는 서가 한가운데 서서, 손끝이 떨리는 것을 느꼈다. 테이블 위에는 한 권의 책이 놓여 있었다. 아무런 표지도, 제목도 없는, 그저 공허한 존재처럼 보이는 책. 그러나 그는 알고 있었다. 그것이야말로 그의 마지막 기억을 담고 있는 책이었다.

책을 펼친다면, 그는 모든 것을 알게 될 것이다. 7년 전, 그가 놓쳐버린 시간 속의 진실을. 왜 그녀가 사라졌으면, 무엇이 그의 기억을 지우도록 만들었는지. 그러나 그것이 단순한 기억 회복이 아님을 그는 직감적으로 알고 있었다. 기억을 되찾는 순간, 지금의 자신은 더 이상 예전과 같은 사람이 아닐 것이다. 기억 속의 도윤과 현재의 도윤, 그 틈새가 다시는 좁혀지지 않을 수도 있었다.

그는 서아를 바라보았다. 그녀는 조용히 서서 그를 지켜보고 있었다. 그녀의 눈동자 속에는 말로 다 표현할 수 없는 감정들이 얽혀 있었다. 애정, 걱정, 그리고 그 역시 알지 못하는 감정의 잔해들.

"난 어떻게 해야 할까?"

그는 마치 답을 구하듯 그녀에게 물었다. 그러나 서아는 낮고 부드러운 목소리로 대답했다.

"이건 네가 결정해야 해. 나는 선택을 대신해 줄 수 없어."

그녀의 말은 냉정해 보였지만, 그는 그 안에 담긴 깊은 의미를 읽을 수 있었다. 이 선택은 온전히 그의 것이었다. 누군가의 조언에 기대어 결정할 수 있는 종류의 일이 아니었다.

도윤은 깊이 숨을 들이마셨다. 손끝이 책의 표지를 천천히 쓸었다. 차가운 표면, 손끝으로 느껴지는 미세한 촉감이 그를 현실로 붙잡았다. 그는 이제 자신에게 묻고 있었다. 과거를 마주할 용기가 있는가? 그는 책을 펼쳐야 할까? 아니면, 그대로 두고 현재의 삶을 지켜야 할까? 책장을 넘기는 순간, 서점은 어떻게 반응할 것인가? 그는 선택해야 했다.

서점의 공기가 갑자기 무거워졌다. 도윤이 손끝을 책의 표지에 올린 순간, 서점 전체가 미세하게 흔들렸다. 마치 오래된 기계장치가 작동하는 듯한 느낌. 서가 사이를 떠돌던 먼지가 가라앉고, 오래된 나무 마루가 떨리는 듯했다. 그 미묘한 진동이 공간을 지배하는 듯한 기이한 감각이 들었다.

서아는 숨을 깊이 들이마셨다. 그녀는 처음으로, 서점이 단순한 책을 보관하는 공간이 아니라, 스스로 의지를 가진 존재처럼 느껴졌다. 책장 사이의 그림자가 일렁이고, 미세한 바람이 일어 그녀의 머리칼을 스쳤다. 이곳은 기억을 다루는 공간이었지만, 기억의 주인이 되어야 할 사람들은 늘 서점의 법칙에 따라 움직여야만 했다. 그리고 그것이 옳은 일인지, 그녀는 처음으로 의문을 품었다.

"서점의 규칙이 모든 것을 결정할 순 없어."

그녀는 단호하게 중얼거렸다. 도윤이 선택을 강요받고 있었다. 책을 펼쳐 기억을 소생하든, 혹은 그대로 두고 현실을 받아들이든, 그것은 그가 온전히 원해서가 아니라, 서점이 만들어 놓은 규칙 때문이었다. 기억을 되찾는다는 것은, 잃어버린 과거를 되찾는 동시에 무언가를 잃는다는 것을 의미했다. 하지만 인간은 자신의 기억을 다룰 자유가 있어야 하지 않을까?

서아는 결심했다. 그녀의 손이 가볍게 공기를 가르는 순간, 서점 깊숙한 곳에서 무언가가 반응했다. 책장 사이에서 희미하게 빛이 일며, 하나의 책이 서서히 앞으로 나왔다. 오래된 가죽 표지, 붉게 변색한 페이지들. 이것은 단순한 책이 아니었다.

이 책은 서점이 특정한 규칙을 어길 수 있도록 하는 유일한 예외였다. 기억을 되찾을지 말지, 완전한 선택을 강요받기 전에, 기억의 일부를 미리 경험하고 그것을 받아들일 것인지 결정할 기회를 제공하는 책. 서아는 오래전부터 이 책의 존재를 알고 있었지만, 단 한 번도 사용한 적이 없었다. 아니, 사용할 용기가 없었다. 하지만 지금은 달랐다.

그녀는 천천히 책을 들어 도윤을 바라보았다. 그의 눈빛에는 의심과 기대, 그리고 두려움이 섞여 있었다.

"이 책을 통해 너는 네 기억을 완전히 되찾기 전에, 일부를 경험할 수 있어."

도윤은 책을 바라보았다. 손끝이 무의식적으로 움찔거렸다.

"무슨 뜻이야?"

"기억을 되찾는 것이 단순한 과거 회복이 아니라는 건 너도 알고 있잖아. 네가 그 기억을 받아들일 준비가 되었는지 확인한 다음, 정말로 그것을 마주할 것인지 결정할 수 있도록 해줄 거야."

서점의 법칙이 깨졌다. 이제 도윤은 무작정 기억을 되찾는 것이 아니라, 일부 기억을 먼저 경험한 후, 그것을 받아들일지 결정할 수 있었다.

그는 여전히 주저하고 있었다. 하지만 더 이상 도망칠 수 없다는 것도 알고 있었다. 서아는 책을 그의 손에 쥐어주며 조용히 말했다.

"이제 선택은 네 몫이야."

도윤은 깊이 숨을 들이마셨다. 그리고, 책을 펼쳤다. 그 순간, 서점이 다시 한번 요동쳤다.

서점의 공기는 유리처럼 깨질 듯 팽팽했다. 도윤이 손끝으로 책장을 넘기는 순간, 어딘가에서 무언가가 무너지는 듯한 느낌이 들었다. 바람이 없는 공간에서 미세한 먼지가 떠올랐다가 가라앉았고, 어두운 서가 사이의 그림자는 길게 늘어졌다. 마치 숨죽이며 그를 지켜보는 듯했다.

책 속에서 흐릿하게 흘러나오는 기억의 조각들이 공간을 잠식해 갔다. 익숙하지만 동시에 낯선 감각. 따뜻한 손길, 부드러운 목소리, 그리고 이질적으로 공허함. 도윤은 한순간 눈을 감았다가 다시 떴다. 그러자 7년 전의 기억이 그의 눈앞에서 현실처럼 펼쳐졌다.

그는 비 오는 거리 위에 서 있었다. 길가의 가로등 불빛이 빗물 위에서 흔들렸고, 젖은 공기가 피부를 파고들었다. 빗방울이 그의 머리칼을 적셨고, 차가운 감각이 피부에 스며들었다. 그리고 그곳에 그녀가 있었다. 검은 우산을 쥔 손, 흩날리는 어깨 길이의 머리카락, 그리고 그를 바라보던 깊고도 복잡한 눈빛이 거기에 있었다.

"이제 알겠어?"

현실 속에서 서아의 목소리가 희미하게 들렸다. 하지만 도윤은 그녀의 질문에 대답할 수 없었다. 그는 여전히 기억 속에 있었다.

7년 전, 그날 밤, 그녀는 입술을 떼었다가 다시 다물었다. 망설임이, 두려움이, 말로 표현되지 못한 감정들이 그녀의 몸짓 속에서 어지럽게 흘렀다.

"어떤 일이 있어도…"

그녀의 목소리는 빗소리에 묻혀 흐려졌다. 하지만 도윤은 알고 있었다. 그는 이 말을 들었던 적이 있다. 아니, 들어야만 했다.

"…날 잊지 않겠다고 약속해 줘."

그는 입을 열었다. 그러나 그 순간, 기억이 급격히 일그러지기 시작했다. 주변의 풍경이 찢어지는 듯 뒤틀리며 회색빛으로 변했다. 그녀의 얼굴이 희미해졌고, 그녀가 서 있던 자리마저 검은 공간 속으로 삼켜져 갔다.

그는 두 손을 뻗었다. 그러나 닿을 수 없었다. 순간, 서점의 공기가 급격히 변했다. 그의 눈앞에서 기억이 깨져나갔다. 과거의 그녀는 사라졌고, 대신 그가 손에 쥐고 있던 책이 원래대로 돌아왔다. 현실이었다. 도윤은 숨을 거칠게 몰아쉬며 책을 내려다보았다. 손끝이 미세하게 떨렸다.

서아는 그의 옆에 조용히 서 있었다. 그녀는 아무 말 없이 그를 바라보았다. 도윤은 눈을 감았다가 떴다. 이제 그는 알았다. 그가 찾던 것이 단순한 과거의 기억이 아니었다.

그는 과거를 되찾으려 했지만, 결국 중요한 것은 기억이 아니라 그 기억을 어떻게 받아들이느냐였다. 그가 그녀를 잊은 것이 아니라, 그녀와의 약속을 지키기 위해 기억을 감추었던 것이었다.

"이제 선택해야 해."

서아의 목소리는 낮고도 부드러웠다. 도윤은 천천히 숨을 들이마셨다. 그리고 마지막 결정을 내렸다. 과거를 되찾고 진실을 마주할 것인가, 혹은 현재의 자신을 유지할 것인가? 서점이 조용해졌다. 그의 선택이, 서점의 운명을 바꾸게 된다.

20화. 왜곡된 조각

서점 안의 공기가 미묘하게 뒤틀렸다. 벽을 따라 늘어선 책장들이 깊이를 알 수 없는 숲처럼 우뚝 서 있었고, 그 사이로 낮게 깔린 빛이 마치 살아 있는 것처럼 흔들렸다. 도윤은 천천히 손을 뻗었다. 그의 손끝이 마지막 책의 표지를 스쳤을 때, 차갑고도 부드러운 촉감이 피부를 타고 전해졌다.

책을 펼치는 순간, 마치 무언가가 깨지는 듯한 소리가 들렸다. 동시에 강렬한 빛이 서점 안을 가득 채웠다. 눈부신 섬광 속에서 도윤은 숨을 멈췄다. 그의 의식이 순간적으로 흔들렸다. 그리고 머릿속에 파편처럼 흩어졌던 기억들이, 물밀듯이 쏟아져 들어오기 시작했다.

희미했던 장면들이 선명해졌다. 어둑한 골목, 비 오는 밤, 손에 움켜쥔 작은 종이쪽지, 그리고… 그녀.

그녀의 얼굴이 또렷이 떠올랐다. 그동안 수없이 떠오르려다 사라졌던 실루엣이, 이제는 또렷한 형태로 그를 응시하고 있었다. 그녀는 어딘가 초조해 보였다. 빗물에 젖은 머리카락을 뒤로 넘기며, 불안한 듯 손끝을 만지작거렸다. 그리고 입을 떼었다.

"도윤, 어떤 일이 있어도 날 잊지 않겠다고 했지?"

그 순간, 도윤의 심장이 무겁게 내려앉았다. 그는 알았다. 그날 밤, 그는 이 말을 들었다. 그리고 대답했다. 그러나 기억 속에서 그의 목소리는 지워져 있었다.

과거의 조각들이 이어지며, 그는 숨이 막힐 듯한 감각에 휩싸였다. 단순한 기억이 아니었다. 기억과 함께 그가 잊고 있던 모든 감정이 한꺼번에 되살아났다. 후회, 아픔, 죄책감, 그리고… 강렬한 상실감.

마치 몸이 갈라지는 것 같았다. 그는 서점 한가운데 서 있었지만, 동시에 7년 전의 그 거리에도 서 있었다. 현실과 기억이 겹쳤다. 공간이 흔들렸다. 서점의 책장들이 어둠 속으로 침잠하듯 사라졌고, 대신 과거의 풍경이 뚜렷이 떠올랐다.

그날의 밤, 그는 그녀를 붙잡았어야 했다. 그러나 그는…도윤은 눈을 질끈 감았다. 그리고 마침내, 잃어버린 기억의 마지막 조각이 맞춰졌다.

그는 그녀를 떠나보냈다. 스스로 하지만 왜? 숨을 몰아쉬며 도윤은 책에서 손을 뗐다. 그러나 기억은 계속해서 흐르고 있었다. 서점이 현실로 돌아오지 않았다. 도윤은 정신을 가다듬으려 했지만, 여전히 흔들리는 환각 속에서 헤매고 있었다. 그의 손끝이 떨렸다. 그는 이제, 그 기억을 완전히 마주해야 했다. 그리고 그것을 받아들일지 결정해야 했다.

공기가 무겁게 가라앉았다. 빛이 사라지고 어둠이 깔리면서, 공간이 낯설게 변했다. 도윤은 무심코 숨을 들이마셨지만, 폐 깊숙이 스며드는 공기는 무언가 다르게 느껴졌다. 차갑고도 텁텁한 감촉이 혀끝에 맴돌았다. 마치 먼지가 오래 쌓인 도서관에서 한없이 오래된 책장을 넘길 때의 느낌이 느껴졌다.

그는 고개를 들었다. 그녀가 있었다. 7년 전 그날 밤과 똑같은 모습으로, 빗물에 젖은 머리칼을 뒤로 넘기며 그를 바라보고 있었다. 창백한 얼굴, 살짝 굳은 입술, 그리고 흔들리는 눈동자. 그녀의 손끝이 미세하게 떨리고 있었고, 도윤은 그것이 긴장 때문인지, 차가운 공기 때문인지 알 수 없었다.

"네가 찾던 것이 정말 나였을까?"

그녀가 말했다. 하지만 그 목소리는 너무나도 조용하고 아득했다. 바람결에 스쳐 지나가는 속삭임처럼, 도윤의 귀를 스치고 지나가려 했다.

그는 그녀를 향해 한 걸음 내디뎠다. 하지만 동시에 무언가 그를 붙잡고 있는 듯한 기묘한 감각이 들었다. 움직일 수는 있지만, 한없이 무거운 중력이 그의 발목을 잡은 것처럼 보였다.

그녀는 변함없이 그를 바라보았다. 아니, 정확히는… 그를 보고 있는 것 같으면서도, 보지 않는 것 같은 느낌이었다.

"너는 내 기억 속에만 존재하는 거야?"

도윤은 질문했지만, 그녀는 대답하지 않았다. 다만, 아주 희미한 미소를 지어 보였다. 그 순간, 기억 속의 공간이 흔들렸다. 도윤은 정신이 아득해졌다. 그는 이제 현실과 기억의 경계가 어디인지조차 분간할 수 없었다.

현실에서는 조용한 서점 안에 오직 한 사람만 남아있었다. 서아는 눈을 감은 채 책상에 쓰러진 도윤을 바라보았다. 그의 이마에서 식은땀이 흘러내리고 있었다. 손가락이 미세하게 떨렸고, 숨소리는 일정하지 않았다.

"기억 속에 갇힌 거야."

그녀는 직감적으로 깨달았다. 그가 기억의 세계에 빠져들고 있다는 것을. 그리고 지금, 그 세계에서 길을 잃고 헤매고 있는 것을 알았다.

그는 현실로 돌아오려 할 것이다. 하지만 만약 기억이 그를 놓아주지 않는다면? 책장이 떨렸다. 서점이 흔들리기 시작했다. 책들이 작은 진동을 일으키며 미세하게 들썩였다. 마치 이곳 자체가 도윤의 상태를 반영하는 듯했다. 서아는 한 걸음 다가섰다. 그리고 조용히 말했다.

"도윤, 돌아와."

기억 속에서, 도윤은 7년 전의 자신과 마주했다. 당시의 그는, 지금과 다르게 혼란스러워 보였다. 그는 깊은 고민에 빠진 얼굴이었다. 그리고 그 앞에는 그녀가 서 있었다.

"그때 나는 무엇을 했지?"

도윤은 되뇌었다. 그리고 마침내 깨달았다. 그는 선택했었다. 그녀를 떠나보내기로.

하지만 그 이유는? 기억이 또다시 흔들렸다. 마치 다시는 닿지 못할 것처럼, 장면이 희미해졌다.

"네가 찾고 있는 건… 진실이 아니라, 너의 선택이야."

그녀의 마지막 말이 허공에서 아스라이 울렸다. 도윤은 눈을 감았다. 그리고 이제, 자신이 해야 할 일이 무엇인지 알았다.

그는 기억을 쫓는 것이 아니라, 자신이 내린 결정을 온전히 받아들이는 것이 필요했다. 눈을 떴다. 그리고 그는 다시 현실로 돌아왔다. 서점 안에서, 서아는 조용히 그의 손을 잡고 있었다. 도윤의 눈이 천천히 떠졌다.

"돌아왔네."

그녀가 미소 지으며 말했다. 도윤은 깊은숨을 내쉬었다. 그리고 깨달았다. 그는 더 이상 과거에 갇히지 않을 것이다.

서점의 공기가 묘하게 달라져 있었다. 책장은 서서히 흔들렸고, 바닥은 무언가가 깨어나려는 듯 미세하게 진동했다. 공간 전체가 살아 있는 듯했다. 하지만 이 모든 변화의 중심에 있는 것은 도윤이었다.

그는 바닥에 쓰러져 있었다. 깊은 기억 속에서 헤매다 겨우 현실로 돌아온 듯한 모습이었다. 숨을 몰아쉬는 그의 이마에는 땀이 맺혀 있었고, 그의 손끝이 가느다랗게 떨리고 있었다.

서아는 조용히 그를 바라보았다. 그의 얼굴에는 알 수 없는 감정이 스쳐 지나가고 있었다. 안도일까, 아니면 깊은 상실감일까. 그녀는 그의 손끝을 잡았다. 차가운 피부가 아직도 기억의 세계에서 빠져나오지 못한 흔적처럼 느껴졌다.

"이제 돌아왔어."

그녀의 목소리는 조용했지만, 확신이 있었다.

눈을 뜬 도윤은 천장을 바라보았다. 현실로 돌아왔다는 걸 깨닫기까지 몇 초의 시간이 필요했다. 익숙한 공기, 가만히 흔들리는 전등 불빛, 서점 특유의 종이 냄새. 하지만 모든 것이 달라 보였다.

그는 천천히 몸을 일으키며 손을 가만히 쥐었다 폈다. 기억이 돌아왔다. 하지만 단순히 퍼즐 조각이 맞춰진 것이 아니었다.

그는 마침내 이해했다. 그가 그토록 찾고 싶었던 것은 단순한 '과거'가 아니었다. 그는 자신의 선택이 무엇을 의미했는지 알고 싶었던 것이었다.

그녀는 사라졌지만, 그의 기억 속에서는 여전히 선명했다. 그리고 그가 기억을 되찾는 순간, 그 감정들 역시 되살아났다.

사랑. 슬픔. 후회. 죄책감.

하지만 이번에는 다르다. 그는 더 이상 과거에 얽매여 있는 존재가 아니었다.

서아는 조용히 그를 지켜보았다. 도윤이 기억을 되찾은 순간, 서점도 변하고 있었다.

책들이 미세하게 흔들리고, 공기가 이상하게 일렁였다. 가벼운 바람이 부는 것 같았지만, 창문은 닫혀 있었다.

"서점이…"

서아는 조용히 중얼거렸다. 그녀는 이 공간이 단순한 서점이 아니라는 것을 알고 있었다. 서점은 기억을 간직하고, 조작하고, 되찾아 주는 공간이었다. 하지만 기억이 완성된다면?

이 공간의 존재 이유 자체가 사라지는 것은 아닐까? 서점의 규칙이 바뀌려 하고 있었다. 그녀는 아직 그 의미를 완전히 이해하지 못하고 있었다.

도윤은 천천히 자리에서 일어났다. 그의 눈빛은 이전과 달랐다. 과거를 마주한 후, 그는 더 이상 흔들리지 않았다.

"결국, 내가 찾던 건 기억이 아니라… 이해였어."

그는 조용히 중얼거렸다. 서아는 그런 그를 바라보았다. 그는 달라졌다. 과거를 쫓던 남자가 아니라, 이제는 과거를 받아들이고 미래를 향해 걸어갈 준비가 된 사람이었다.

그는 조용히 문을 향해 걸었다. 그리고 문고리를 잡았다. 그 순간, 서점이 다시 한번 미세하게 떨렸다. 이곳을 떠나면, 무언가 달라질 것 같았다. 그는 깊이 숨을 들이마셨다. 그리고 문을 열었다. 그곳은 단순한 골목길이 아니었다. 또 다른 선택지가 기다리고 있는 곳이었다.

21화. 진실이 드러난다.

7년 전의 기억, 그날의 밤, 기억이 마침내 완전히 돌아오는 순간, 도윤은 숨을 삼켰다. 폐 깊숙이 차오르는 차가운 공기. 목뒤로 흐르는 땀. 심장이 조여 오는 듯한 감각. 그날의 장면이 선명하게 펼쳐지면서, 그는 마치 그 시간을 다시 살고 있는 것처럼 모든 감각이 또렷해졌다.

어두운 밤이었다. 가로등이 희미하게 빛나던 골목길. 그곳에서 그는 이서진을 마지막으로 보았다. 그녀는 떨리는 손으로 무언가를 전하려 했다.

"이걸… 받아줘."

그녀의 목소리는 간절했지만, 동시에 무겁게 가라앉아 있었다. 손에 쥔 것은 작은 메모지였다. 종이 끝자락이 손가락 사이에서 미세하게 흔들렸다. 하지만 그는 받지 않았다. 아니, 받지 못했다. 그 순간, 도윤의 머릿속에서 또 다른 기억이 떠올랐다.

이서진의 표정이 흔들렸다. 그녀의 눈동자는 어딘가를 바라보고 있었다. 마치 누군가가 지켜보고 있는 듯한 느낌을 지울 수 없었다.

그리고, 바로 그때였다. 멀리서 검은 그림자가 다가오고 있었다. 그녀를 잃어버린 순간, 모든 것이 너무 빨랐다. 그림자가 움직이는 순간, 서진의 얼굴이 변했다. 두려움과 결심이 동시에 깃든 표정이었다. 그녀는 몸을 돌리더니, 반대편으로 뛰기 시작했다.

"서진아!"

도윤이 그녀를 잡으려 손을 뻗었을 때, 이미 늦었다. 서진의 몸이 앞으로 쓰러졌다. 그리고 순간, 날카로운 파열음이 귀를 찢었다. 타이어가 미끄러지는 소리, 쇠가 부딪히는 충격음, 그리고 어딘가에서 터진 비명과 급하게 사라졌다.

그는 정신없이 뛰어갔다. 눈앞의 모든 것이 흐릿하게 보였다. 하지만 바닥에 쓰러진 그녀는 움직이지 않았다.

이 순간이 그의 인생을 두 조각으로 나눈 시간이었다. 기억을 지워야만 했던 이유가 그곳에 있었다. 서점의 공기가 차갑게 얼어붙었다. 도윤은 천천히 숨을 들이마셨다.

그는 이제 알았다. 그가 기억을 지운 것은 단순한 상실 때문이 아니었다. 그날의 사고는 단순한 우연이 아니었다.

그날 서진은 누군가로부터 도망치고 있었다. 그리고 그가 기억을 되찾는다면, 그 '누군가'도 다시 움직일 것이다. 그는 머리를 감싸쥐었다. 두통이 밀려왔다. 서점의 공간이 흔들리는 것 같았다.

"그녀는… 떠난 게 아니었어. 난… 그녀를 지키지 못했어."

서아는 조용히 도윤을 바라보았다. 그의 어깨는 흔들리고 있었다. 숨을 삼키는 소리가 들렸다. 그녀는 다가가 조심스럽게 그를 불렀다.

"도윤 씨."

그는 천천히 고개를 들었다. 그 눈빛은 마치 기억의 무게에 짓눌린 듯했다. 그녀는 조용히 말을 이었다.

"이제 선택해야 해요. 기억을 되찾았어요. 하지만, 이 기억을 가지고 어떻게 할 건지는 당신이 결정해야 해요."

그의 손끝이 작게 떨렸다. 기억을 되찾는 것이 끝이 아니라는 걸, 그는 이제 알고 있었다. 그 기억을 품고 살아갈 것인가, 아니면 또 다른 선택을 할 것인가. 그리고, 그를 지켜보고 있는 또 다른 존재가 있다는 것을 알게 되었다.

서점의 문밖에서, 어딘가에선 핸드폰이 울리고 있었다. 낯선 목소리가 수화기 너머에서 속삭였다.

"기억이 돌아왔구나."

그 소리는 마치 오래전부터 이 순간을 기다려 온 것 같았다.

비 내리는 밤이었다. 창문을 두드리는 빗방울 소리가 도윤의 머릿속에서 메아리쳤다. 그는 침대에 앉아 아무 말 없이 손을 바라보았다. 손가락 사이에 남아있는 차가운 감촉, 어딘가에서 흩어져 버린 그녀의 마지막 체온이 아직도 남아있는 것만 같았다.

그녀는 사라졌다. 아니, 그는 그렇게 믿고 싶었다. 세상은 아무렇지도 않게 돌아가고 있었지만, 그는 달랐다. 그날 이후 모든 것이 멈춘 듯했다. 그녀를 잃어버린 것이 아니라, 그녀를 포함한 시간 전체를 잃어버린 기분이었다.

아무리 눈을 감아도 그녀의 얼굴이 떠올랐다. 길을 걸을 때마다 환영처럼 그녀가 서 있는 것 같았고, 누군가의 목소리에서 그녀의 이름이 들리는 듯했다. 머릿속은 그녀의 존재로 가득 차 있었고, 그것을 견디는 것이 불가능했다.

그러던 어느 날, 그는 서점을 찾았다.

"당신이 원하는 것이 무엇이죠?"

그날 서점 주인은 책장을 정리하며 조용히 물었다. 도윤은 한참을 망설였다. 사실 그는 자신의 감정을 정확히 표현할 수 없었다. 잊고 싶은데, 잊을 수 없었다. 지우고 싶은데, 그럴 수 없었다.

"기억을… 없애고 싶습니다."

그는 마치 자신도 믿지 않는 듯한 목소리로 말했다.

"잊는 것은 쉽지 않아요. 시간이 지나면 희미해질 뿐이지, 완전히 사라지는 것은 아닙니다."

"그래도… 방법이 있다면 알고 싶습니다."

서점 주인은 깊은 한숨을 쉬었다. 그리고 천천히 책장 깊숙한 곳에서 한 권의 책을 꺼냈다. 표지가 바랜 채, 손때가 묻은 책을 그의 앞에 내어놓았다.

"이 책을 읽으면, 원하는 기억이 사라질 겁니다. 하지만 한 가지 기억하세요. 기억은 단순히 사라지는 것이 아닙니다. 잊힌 기억은 다른 방식으로 존재합니다."

그는 주인의 말을 듣지 않았다. 아니, 듣고 싶지 않았다. 단 하나의 생각만이 그의 머릿속을 지배했다. 이 고통을 끝내야 한다. 그는 기억을 지웠다. 책을 펼친 순간, 머릿속이 텅 비는 듯한 감각이 들었고, 눈앞의 모든 것이 어두워졌다.

그녀와 함께했던 순간들이 서서히 흩어지기 시작했다. 그녀와 처음 만났던 날, 함께 걸었던 길, 마지막으로 들었던 목소리까지도. 모든 것이 가벼운 먼지처럼 날아가 버렸다. 그러나, 그의 무의식은 이 결정을 받아들이지 않았다.

기억이 사라진 후에도, 그는 이유를 알 수 없는 공허함을 느꼈다. 어떤 책을 펼쳐도 그 의미를 온전히 이해할 수 없었고, 어떤 음악을 들어도 감정이 동요하지 않았다. 잊는 것이 아니라, 감정의 일부를 떼어내는 것 같은 느낌이었다.

그리고 그는 이해했다. 그는 그녀를 잊은 것이 아니라, 그녀가 없다는 사실을 받아들이지 못했다.

현재로 돌아온 도윤은 조용히 눈을 감았다. 서점의 공기는 유난히 차가웠다. 서아는 아무 말 없이 그를 바라보고 있었다.

"이제 알겠어."

그의 목소리는 차분해졌다.

"나는 이서진을 잊은 게 아니었어. 그녀가 없다는 사실을 견디지 못했던 거야."

그는 과거의 자신이 왜 그런 결정을 내렸는지 이해할 수 있었다. 그는 선택했지만, 그의 마음속 깊은 곳에서는 끝까지 그녀를 놓지 않았다. 그녀는 그의 기억에서 지워진 것이 아니라, 어딘가에 깊숙이 잠겨 있었을 뿐이었다. 그리고 이제, 그 기억을 떠올리는 것이 두렵지 않았다.

서아는 조용히 미소를 지었다.

"그럼, 이제 어떻게 할 건가요?"

그는 천천히 숨을 들이마셨다.

"이제, 과거를 붙잡고 있는 게 아니라, 그 기억과 함께 살아가야겠지."

비로소, 그는 7년 전의 밤에서 벗어나고 있었다. 서점의 문이 삐걱거리며 열렸다. 여전히 바깥세상은 변함없는 일상을 이어가고 있었지만, 도윤의 내면은 전혀 다른 시간이 흐르고 있었다.

그는 여전히 손끝에서 사라진 감촉을 기억했다. 이서진의 손. 그 온기와 부드러웠던 감각이 아직도 피부 위에 남아있는 것 같았다. 그러나 이제는 그 손을 붙잡을 수 없었다. 7년 전, 그녀가 마지막으로 남긴 말과 함께 기억이 돌아왔다.

"제발… 나를 영원히 기억해 줘."

그 순간, 그는 그것이 단순한 부탁이 아니라 그녀가 남긴 유일한 유산인 것을 깨달았다. 그녀는 사라졌지만, 그녀와의 시간은 존재했다. 그것을 부정하고 지우는 것이 아니라, 품고 살아가야 한다. 과거를 묻어두는 것이 아니라, 그것을 자신의 일부로 받아들였다. 그는 마침내 그 선택을 할 준비가 되었다.

서점을 나서는 순간, 도윤은 천천히 서점을 둘러보았다. 책장 위의 책들은 여전히 조용히 숨 쉬고 있었고, 공기에는 익숙한 종이 냄새가 감돌았다. 그러나 그가 처음 이곳에 왔을 때와는 다르게, 이 공간이 더 이상 자신을 가두는 곳이 아니라는 것을 깨달았다.

서아는 그의 옆에 서 있었다. 그녀의 눈빛은 여전히 차분했지만, 어딘가에서 미묘한 감정이 흔들리고 있었다.

"이제 떠날 건가요?"

서아가 조용히 물었다. 도윤은 잠시 그녀를 바라보았다.

"응. 이제는."

그는 가볍게 웃어 보였다.

"이제야, 정말로 나아갈 준비가 된 것 같아."

서아는 그의 말을 듣고 잠시 망설이더니 고개를 끄덕였다.

"좋아요. 하지만… 기억하세요. 떠나는 건 잊는 게 아니에요."

그녀의 목소리에는 설명할 수 없는 온기가 묻어 있었다. 도윤은 그 말에 가볍게 웃었다.

"그래. 나도 이제 그걸 알 것 같아."

그는 마지막으로 서점을 둘러보았다. 자신의 모든 기억을 되찾은 곳, 그리고 마침내 기억을 받아들이기로 결심한 곳이었다. 그리고 그는 문을 열었다.

도윤이 떠난 뒤, 서아는 천천히 그가 서 있던 자리를 바라보았다. 이상하게도, 그가 사라지자, 서점 내부의 공기가 달라진 듯했다. 책장 사이로 스며들던 빛이 미묘하게 흔들리고, 서점의 공기가 이전보다 더 깊숙이 가라앉는 느낌이 들었다.

그녀는 조용히 숨을 들이쉬었다. 도윤이 기억을 되찾은 것은 서점의 규칙을 뛰어넘는 일이었다. 기억은 언제나 잃을 수도, 되찾을 수도 있었지만, 스스로 선택하는 것은 가능하지 않았다.

그런데도 그는 자신의 의지로 기억을 되찾았고, 그리고 떠나기로 했다. 그 선택이 서점에도 변화를 일으킨 것이다.

책장 속의 책들이 조용히 흔들리더니, 그녀의 눈앞에서 몇 권의 책 제목이 바뀌었다. 그녀는 순간적으로 그것이 의미하는 바를 깨달았다. 이제, 서점도 변하기 시작한 것이다. 그녀는 천천히 손을 들어 책장에 손가락을 스쳤다. 책들이 내는 희미한 속삭임이 그녀의 귀에 스며들었다.

"당신도 선택해야 한다."

서아는 천천히 숨을 내쉬었다. 그녀 역시, 이 서점에서의 자신의 존재에 대해 답을 찾아야 할 때가 온 것이다. 도윤은 떠났지만, 서점의 비밀은 이제 완전히 밝혀질 순간을 기다리고 있었다.

그리고 그녀는 그것을 피하지 않기로 결심했다.

비가 내리기 시작했다. 서점 밖, 골목길을 걸어 나가는 도윤의 발걸음은 더 이상 머뭇거리지 않았다. 기억을 되찾았다고 해서 모든 것이 해결된 것은 아니었다. 하지만 그는 이제 확신할 수 있었다.

이서진과의 시간은 단순한 과거가 아니라, 그의 삶의 일부인 것을 추억으로 가슴에 묻고 살아갔다. 그는 이제 그 아픈 기억을 마저 가슴에 품고 앞으로 살기로 했다. 그리고, 새로운 삶이 그를 기다리고 있었다. 멀리서 서점을 바라보던 도윤은 조용히 미소를 지었다. 그리고, 발걸음을 내디뎠다.

22화. 기억의 대가

서점의 공기가 변했다. 책장 사이를 떠돌던 먼지들이 느리게 가라앉았다. 창문을 타고 흐르던 희미한 바람이 한순간 멈춘 듯했고, 공간 전체가 무언가를 예고하듯 깊숙이 숨을 들이쉬었다. 마치 지금까지 정지해 있던 시간이 서서히 움직이기 시작한 듯했다. 서아는 이 낯선 기운을 감지하며 조용히 속삭였다.

"이제 다시 시작이야."

그녀의 말이 끝남과 동시에, 도윤의 가슴 한가운데서 묵직한 감각이 퍼졌다. 마치 무언가가 몸 안에서 차오르며 되돌릴 수 없는 변화를 알리는 듯했다. 그는 두 손을 꽉 쥐고 자신을 다잡으려 했지만, 그의 손끝에서 미세한 떨림이 새어 나왔다.

그의 기억은 완전히 돌아왔다. 그러나 그것은 단순한 회상의 문제가 아니었다. 기억이 돌아오자, 그의 주변에서 무언가가 사라지고 있었다.

도윤은 무심코 자기 손목을 내려다보았다. 그러나 거기 있어야 할 시계가 보이지 않았다. 그가 매일 차고 다니던 시계, 시간의 흐름을 확인하며 살아왔던 그 작은 물건이 온데간데없이 사라졌다. 그는 주머니를 뒤졌다. 가방을 열었다. 하지만 아무리 찾아도 없었다. 단순한 분실이 아니었다. 더 섬뜩한 것은, 그 시계를 누가 선물했는지조차 기억이 나지 않는다는 사실이었다.

"……뭐지?"

도윤은 혼란스러운 표정으로 입술을 굳게 다물었다. 어쩌면 단순한 착각일 수도 있었다. 하지만 가슴속 깊은 곳에서 어렴풋한 공포가 스멀스멀 기어올랐다. 그는 핸드폰을 꺼내 연락처를 확인했다. 그동안 익숙했던 목록을 훑어 내려가다 멈췄다.

이상했다!

누군가 있어야 할 자리에 빈칸이 생긴 것처럼 느껴졌다. 너무나 자연스럽게 사라진 흔적. 하지만 그는 누구의 이름이 사라졌는지조차 알 수 없었다. 서아는 그의 표정을 조용히 지켜보다 말했다.

"대가를 치르게 될 거라고 했잖아."

그녀의 목소리는 차분했지만, 그 안에 깃든 무거운 진실이 묵직하게 가라앉았다. 기억을 되찾는 대신, 다른 무언가를 잃어야만 한다.

"난 기억을 되찾았을 뿐인데, 왜……."

도윤은 말을 잇지 못한 채 허공을 응시했다. 이제 그는 자신이 무엇을 잃고 있는지조차 알 수 없었다. 단순한 사물이 아니라, 누군가의 존재 자체가 그의 기억에서 지워지고 있다는 사실을 깨달았다.

그가 사랑했던 사람일까? 아니면 그를 지탱해 주던 누군가? 그는 온몸을 짓누르는 듯한 압박감에 무겁게 숨을 내쉬었다.

"기억을 되찾았으니, 무언가를 잃는 건 당연한 거야."

서아는 조용히 덧붙였다. 하지만 그녀 역시 불안감을 감출 수 없었다. 서점의 법칙은 누구에게도 예외를 두지 않았다. 그가 되찾은 기억의 무게만큼, 다른 것들이 그의 삶에서 사라질 것이다. 그리고 그것이 무엇인지 깨달았을 때, 이미 돌이킬 수 없을 것이다.

도윤은 천천히 서점의 문을 밀어 열었다. 밤공기가 차가운 숨결처럼 스며들었다. 골목은 여전히 조용했다. 모든 것이 익숙한 듯 보였지만, 그는 느낄 수 있었다.

무언가가 달라졌다.

미묘한 어긋남.

익숙했던 풍경이면서도, 어딘가 어색하게 느껴졌다.

그는 핸드폰을 꺼내 다시 연락처를 훑었다. 그러나 아무리 눈을 돌려봐도, 빠진 이름이 무엇인지 기억해 낼 수 없었다. 이름만이 아니라, 존재 자체가 희미해지고 있었다. 그제야 그는 깨달았다. 그가 잃어버린 것은 단순한 물건이나 단순한 기억이 아니었다.

"……난 지금, 누군가를 잃고 있는 거야."

도윤은 무겁게 속삭였다. 서아는 그의 곁에서 아무 말 없이 가만히 서 있었다. 그녀 역시 무언가를 감지하고 있었다. 이제, 그들에게 남겨진 것은 단 하나의 선택뿐이었다.

도윤이 떠난 후, 서점 안에는 깊은 침묵이 드리웠다. 책장이 흔들렸다. 먼지가 천천히 허공을 떠돌았다. 그리고, 책등 하나가 희미하게 바래기 시작했다. 기억의 균형이 무너지고 있었다. 서점은 균열을 시작했다.

서아는 책을 한 권 집어 들었다. 손끝으로 느껴지는 감촉이 미묘하게 달랐다. 책의 내용이 희미해지고 있었다.

서점은 단순한 공간이 아니었다. 그것은 기억의 보관소이자, 인간의 선택을 시험하는 곳이었다. 그리고 이제, 도윤이 선택한 결과가 서점의 운명까지 바꾸기 시작하고 있었다.

"이제…… 이곳도 변하겠네."

서아는 낮게 중얼거렸다. 그녀는 알 수 있었다. 기억을 되찾은 순간부터, 이 서점 역시 변화의 소용돌이에 휘말렸다는 것을 알았다.

그녀가 막을 수 있을까?

아니면, 이곳 역시 사라져야 하는 걸까?

그녀의 눈동자가 서서히 흔들렸다. 서점이 무너지기 전에, 그녀 역시 결정을 내려야만 했다.

시간이 지나면서, 도윤은 점점 이서진의 얼굴을 떠올리는 것이 어려워졌다. 그녀가 존재했다는 것은 분명한데, 기억 속에서 그녀의 얼굴은 흐릿해졌고, 목소리는 잔향처럼 희미하게 퍼졌다. 마치 안개 속에서 손을 뻗어 잡으려 하면 더욱 멀어져만 갔다.

도윤은 필사적으로 그녀와 함께했던 순간들을 생각했다. 그녀가 웃을 때의 표정, 함께 걸었던 거리, 손끝이 닿던 감촉. 그러나 그의 머릿속에는 그녀의 실루엣만이 어슴푸레하게 남아 있을 뿐이었다.

"……왜 이러지?"

그는 혼란스럽게 중얼거렸다. 모든 기억을 되찾았다고 생각했는데, 이제는 그 기억이 다시 사라지려 하고 있었다. 서아는 조용히 그를 바라보다가 낮게 속삭였다.

"잃은 기억을 선택한 대가야."

그녀의 목소리는 확신에 차 있었지만, 동시에 애잔했다.

"네가 가장 소중히 여기는 기억이야."

도윤은 그제야 깨달았다. 기억을 되찾았지만, 이제 그것을 잃어야 한다. 그녀를 떠나보내야 한다. 단순히 죽음을 받아들이는 것이 아니라, 그녀와의 기억을 현실에서 완전히 지워야만 한다.

"그럴 수 없어."

도윤은 숨이 턱 막히는 것 같았다. 그의 손끝이 미세하게 떨렸다. 차가운 공기가 폐 깊숙이 스며들었지만, 그는 숨을 들이쉴 수도, 내쉴 수도 없었다.

"나는…… 그녀를 찾으려고 여기까지 왔어."

그는 이제야 그녀의 마지막 모습을 다시금 떠올렸다. 7년 전, 비가 내리던 거리. 마지막으로 그녀를 안았을 때의 따뜻함. 그녀의 목소리, 마지막으로 했던 말이 생각이 났다.

"제발…… 나를 영원히 기억해 줘."

그녀는 기억 속에서 그렇게 말했다. 그런데 이제, 그녀를 영원히 기억하는 것이 불가능해졌다. 그의 존재에서, 그녀의 흔적이 사라지려 하고 있었다.

"이건…… 너무 잔인하잖아."

도윤은 고개를 떨구었다. 기억을 찾았다고 생각했을 때, 그는 마침내 그녀를 다시 품을 수 있을 거로 생각했다. 하지만 결국 남겨진 것은 또다시 이별이었다. 이번에는 단순한 죽음이 아니라, 존재 자체가 사라지는 이별이었다.

"모든 걸 되돌리고 싶다면, 이제 그 대가를 내야 할 시간이야."

서아의 목소리는 부드러웠지만, 절대 가볍지 않았다. 그녀 역시 알고 있었다. 서점이 부여하는 법칙은 인간의 감정과 상관없이 공평했다. 그가 기억을 되찾는 대신, 그 기억은 이제 현실에서 완전히 사라지는 것이다.

"나는…… 그녀를 지우고 싶지 않아."

도윤은 다시 한번 부정하듯 말했다. 하지만 그의 눈빛에는 이미 답이 있었다. 결국 그는 결정을 내려야만 한다. 그녀의 존재를 영원히 기억할 것인가, 아니면 그녀를 떠나보내고 앞으로 나아갈 것인가.

그는 천천히 눈을 감았다. 그리고, 그녀의 이름을 마지막으로 속삭였다.

"이서진……."

그 순간, 기억 속 그녀의 모습이 마지막으로 환하게 빛났다. 그녀는 웃고 있었다.

도윤은 서서히 눈을 떴다. 그러나, 그녀의 이름이 그의 입술에서 사라졌었다. 그녀가 존재했던 모든 순간이, 이제 그의 삶에서 완전히 지워지고 있었다.

시간이 흐르면서, 도윤은 점점 그녀와 함께했던 장소들을 기억하지 못했다. 그녀와 자주 갔던 카페, 함께 걸었던 골목, 그녀의 손을 잡고 있었던 찬란했던 순간들이었다.

그러나 이상하게도, 그가 느끼는 감정만큼은 남아있었다. 그녀를 사랑했다는 기억은 사라졌지만, 가슴 한구석에는 알 수 없는 공허함이 남아있었다.

"이제, 너는 어떻게 할 거야?"

서아가 조용히 물었다. 그녀의 눈에는 도윤을 향한 연민이 담겨 있었다. 도윤은 잠시 깊은숨을 들이쉬었다. 그리고 대답했다.

"그래도 앞으로 나아가야지."

그는 그녀를 기억할 수 없었다. 하지만, 그녀와의 사랑이 남긴 감정만큼은 사라지지 않을 것이었다.

그것이, 그가 선택한 길이었다. 그리고, 서점은 그 선택을 받아들였다.

그 순간, 서점 전체가 가볍게 흔들렸다. 책장이 한순간 흐릿해지더니, 다시 제자리를 찾았다. 무언가가 결정된 듯한 순간이었다. 서점은 그들의 선택을 인정했다.

"이제…… 다 끝난 걸까?"

도윤이 문을 열고 바깥으로 나섰다. 차가운 바람이 그의 볼을 스쳤다. 그는 천천히 고개를 들어 하늘을 바라보았다. 기억은 사라졌지만, 그의 마음속에는 여전히 무언가가 남아있었다.

그녀가 떠났다는 것과, 그러나, 기억 속에 그녀가 존재했다는 사실.

그것만큼은 변하지 않았다.

그것이면 충분했다.

도윤은 서점 한가운데 서 있었다. 책장 사이로 흐르는 공기가 기묘하게 일렁였다. 마치 그가 내릴 결정을 기다리는 것처럼. 손끝에서부터 심장까지 퍼지는 묵직한 감각. 그것은 마치 보이지 않는 실이 그를 과거에 붙잡아 두려는 듯한 기분이었다.

그는 깊이 숨을 들이쉬었다. 기억을 찾고 싶어 여기까지 왔다. 그녀를 떠올리고 싶었다. 하지만 이제는 다 알게 되었다. 모든 것을 기억한다고 해도, 그 기억이 그녀를 현실로 데려오는 것은 아니라는 것을.

"이제는…… 놓아줘야겠지."

그의 목소리는 낮았고, 단단했지만 떨림이 있었다. 서아는 묵묵히 그를 바라보았다. 그녀는 더 이상 아무 말도 하지 않았다. 말할 필요가 없었다. 그녀도 알고 있었다. 이제, 그가 스스로 결정할 차례였다.

그 순간, 서점이 미세하게 흔들렸다. 책장이 한순간 흐릿해졌다가 다시 선명해졌다. 그리고 도윤의 머릿속에서도 마찬가지의 변화가 일어났다.

이서진. 그녀의 모습이 한 조각씩 희미해졌다. 그녀의 눈빛, 그녀의 목소리, 그녀가 마지막으로 했던 말. 모든 것이 안개처럼 흐려지더니 점차 사라졌다. 하지만 신기하게도, 도윤은 그것이 두렵지 않았다.

"……괜찮아."

그는 자신에게 말하듯 속삭였다. 그녀를 떠올릴 수 없어도, 그녀를 사랑했던 사실만큼은 사라지지 않을 것이었다. 그는 그것이면 충분하다고 생각했다.

그 기억을 붙잡고 있으면, 영원히 그녀의 그림자 속에서 살아야 할 것이다. 하지만 그가 살아가는 세상에서 그녀 없이도 삶이 계속 이어질 수 있도록 이제는 떠나야 했다. 그녀가 바라던 것처럼 말이다.

"이제 난, 내 기억 속이 아니라, 현실에서 살아갈 거야."

도윤은 서점을 나서며 마지막으로 말했다. 서아는 그를 바라보았다. 그가 처음 서점을 찾아왔을 때의 모습과 지금의 모습은 완전히 달랐다.

더 이상 과거에 매여 있지 않은 얼굴, 그의 발걸음이 천천히 문을 넘어가자, 서점의 분위기가 달라졌다. 그동안 흔들리고 있던 서점의 기운이 조용히 안정되었다. 무언가가 마침내 정리된 듯한 느낌.

그러나, 서아는 알았다. 이것이 끝이 아니라는 것을, 이제, 서점이 요구하는 또 다른 대가가 있을 것이다. 그것은 아마도, 그녀 자신의 몫일지도 모른다. 그녀는 서서히 서점의 어두운 서고를 바라보았다. 그곳에서는 또 다른 기억들이 조용히 잠들어 있었다. 그리고, 이제는 그녀가 그것을 마주할 차례였다. 서점은, 결코 공짜로 기억을 허락하지 않는다.

23화: 새로운 시작

도윤은 서점을 떠난 후, 한동안 허공을 바라보았다. 차가운 공기가 뺨을 스치고 지나갔다. 겨울이 가까워지는 계절, 거리에는 희미한 저녁노을이 퍼지고 있었다. 어딘가 익숙한 향이 코끝을 스쳤다. 하지만 그가 왜 이 냄새를 알고 있는지, 어디서 맡았는지조차 기억나지 않았다.

그는 깊은숨을 들이마셨다. 이서진! 그녀의 이름을 불러보려 했지만, 혀끝에서 단어가 맴돌다 사라졌다. 그녀의 얼굴을 회상하려고 했지만, 머릿속이 희미하게 흐려졌다. 마치 안개 속에 가려진 풍경 같았다.

하지만 이상하게도, 그 감정만큼은 남아있었다. 마음 한구석이 어딘가 텅 빈 듯하면서도, 동시에 따뜻한 감각이 가슴을 스쳐 지나갔다. 그는 더 이상 그녀를 기억할 수 없지만, 그녀와 함께했던 감정은 사라지지 않았다. 그것이면 충분했다.

도윤은 서점을 떠난 이후, 더 이상 기억을 되찾기 위해 애쓰지 않았다. 그는 현실을 살아가기로 했다.

새벽마다 향이 좋은 커피를 마시고, 낮에는 바쁜 일상에 집중했다. 때로는 친구들과 만나 농담을 주고받았고, 밤에는 조용히 책을 펼쳤다.

변호사로 사는 삶은 여전했지만, 그 안에서 무언가 조금씩 달라지고 있었다. 그는 더 이상 미래를 향해 나아가는 데 주저하지 않았다. 모든 것을 기억하지 못해도, 그의 손끝에는 여전히 익숙한 온기가 남아있었다.

그것이 사랑이었는지, 혹은 단순한 그리움이었는지 그는 알 수 없었다. 하지만 그것이 중요하다는 사실은 알고 있었다.

어느 날, 그는 우연히 한 서점을 지나쳤다.

"……청연서점."

그는 간판을 바라보았다. 언젠가 이곳에 온 적이 있는 것만 같았다. 그러나 떠오르는 기억은 없었다. 그는 문을 열지 않았다. 대신, 조용히 발걸음을 돌렸다. 그는 더 이상 과거를 붙잡지 않았다. 그러나 언젠가, 다시 그곳을 찾게 된다면, 어쩌면 또 다른 이야기가 시작될지도 모른다. 그렇게, 도윤은 기억 속이 아닌, 현실 속에서 새로운 삶을 살아가기로 했다.

도윤은 천천히 자신의 자리로 돌아왔다. 변호사 사무실의 문을 열었을 때, 오래된 종이 문서에서 풍기는 묵직한 잉크 냄새가 그를 감쌌다. 과거에는 매일 같이 맡던 익숙한 냄새였지만, 이제는 조금 다르게 느껴졌다. 그는 한순간 멈춰 서서, 사무실 안에 스며든 공기를 깊이 들이마셨다.

책상 위에는 처리해야 할 서류가 수북이 쌓여 있었다. 커피잔에는 어젯밤 남긴 흔적이 고여 있었고, 컴퓨터 화면에는 여전히 켜진 채로 미처 마무리하지 못한 문서가 떠 있었다.

예전 같았으면, 그는 곧장 서류를 정리하고 업무에 몰두했을 것이다. 하지만 오늘은 조금 달랐다. 그는 손끝으로 커피잔을 가볍게 밀어 보았다. 텅 빈 곳을 손가락이 스쳤다.

기억을 되찾기 위해 애쓰던 자신이 이제는 과거를 붙잡지 않고 현재를 살아가려 한다는 사실이 낯설게 느껴졌다. 하지만 그는 알고 있었다. 이것이 자신이 선택한 길이었다.

사무실 창밖으로 바람이 불었다. 도시의 소음이 유리창을 타고 들어왔다. 예전과 같은 풍경이었지만, 그가 바라보는 방식은 조금 달라져 있었다.

그는 과거를 쫓아다니며 끝없는 물음 속에서 허우적댔다. 기억이란 것이 사라지면 모든 것이 끝나는 줄 알았다. 그러나 결국 남는 것은 기억이 아니라, 그 기억 속에서 자신이 품었던 감정과 선택이었다.

이제 그는 과거를 붙잡는 것이 아니라, 현실에서 새로운 길을 찾아가기로 했다. 누군가를 되찾으려 애쓰기보다, 이제는 새로운 사람들과 관계를 맺어가야 했다. 잃어버린 시간을 되돌리려 하기보다, 앞으로 만들어 갈 시간을 소중히 해야 했다.

책상 위에 놓인 휴대폰이 진동했다. 화면에는 익숙한 이름이 떠올랐다. 도윤은 짧게 숨을 들이마셨다. 과거 같았으면, 그는 전화를 받기 전에 한참 망설였을 것이다. 하지만 이번에는 다르게 행동했다.

그는 천천히 휴대폰을 집어 들고, 화면을 바라보았다. 그리고 아무런 망설임 없이 버튼을 눌렀다.

"여보세요?"

퇴근 후, 그는 천천히 거리로 나섰다. 도시의 불빛이 하나둘 켜지기 시작했다. 사람들은 저마다의 일상을 살아가며 바쁘게 움직이고 있었다. 과거의 자신이라면 이런 풍경 속에서도 계속해서 과거에 묶여 있었을 것이다. 하지만 이제는 달랐다.

도윤은 걸음을 멈추고 하늘을 올려다보았다. 밤하늘에는 희미한 달빛이 걸려 있었다. 별 하나 없는 어둠 속에서도, 달빛은 여전히 세상을 비추고 있었다. 마치 그가 잃어버린 기억처럼.

그는 손을 주머니에 넣고, 천천히 걸음을 옮겼다. 그의 발걸음은 더 이상 과거를 좇지 않았다.

그는 앞으로 나아가고 있었다. 어쩌면 그것이야말로, 기억을 되찾는 것보다 더 중요한 일이었을지도 모른다. 그렇게 도윤은 마침내 과거를 떠나, 현실 속으로 걸어가기 시작했다.

도윤은 오래된 골목길을 따라 천천히 걸었다. 저녁노을이 길게

드리운 거리는 어딘가 익숙하면서도 낯설었다. 한 걸음 내디딜 때마다 바닥에 쌓인 낙엽이 바스락거렸다. 그 소리는 마치 시간의 잔향처럼 그를 감쌌다.

그가 발걸음을 멈춘 곳은 청연서점이었다. 하지만 무언가 달랐다. 유리창 너머로 보이던 따뜻한 조명은 꺼져 있었고, 문 앞에 있던 작은 풍경도 사라졌었다. 문을 조심스레 밀어 보았지만, 안쪽에서 아무런 인기척도 느껴지지 않았다.

그는 조용히 서점 안으로 발을 들였다. 예전과 달리, 책들이 가득 차 있던 서가들은 텅 비어 있었다. 먼지조차 쌓이지 않은 듯, 그 공간은 마치 처음부터 존재하지 않았던 것처럼 비어 있었다.

그는 한참을 그 자리에 서 있었다. 그리고 이내 이해했다. 서아는 떠난 것이다. 그녀는 어디론가 사라졌고, 서점도 더 이상 이곳에 존재하지 않았다. 하지만 이상하게도, 그는 슬프지 않았다.

도윤은 천천히 서점 안을 걸었다. 손끝으로 책장 가장자리를 훑었지만, 감촉조차 희미했다. 오랫동안 자신을 붙잡고 있던 기억의 무게가 가벼워진 듯한 기분이 들었다.

그가 그토록 원했던 진실을 마주한 후, 그는 이제 그것을 떠나보낼 준비가 되어 있었다. 서점이 사라진 것은 곧 그가 더 이상 과거 속에서 헤매지 않는다는 의미였다.

그는 자리에서 천천히 돌아섰다. 마지막으로 떠올린 서아의 모습은, 창가에 앉아 조용히 책을 읽고 있던 모습이었다. 그녀는 언제나 조용히 사람들의 이야기를 들어주었고, 기억 속에서 길을 잃은 이들에게 방향을 제시해 주었다. 그리고 이제, 그녀는 자신의 길을 찾아 떠난 것이다. 그 역시 그래야 했다.

서점을 나오자, 차가운 공기가 그의 뺨을 스쳤다. 거리에는 하나둘 불이 켜지고 있었다. 상점들의 네온사인은 여전히 반짝였고, 사람들은 일상처럼 분주히 움직였다. 그는 천천히 발걸음을 옮겼다.

오래전, 그는 기억 속에서 무언가를 되찾기 위해 이 거리를 걸었다. 하지만 이제, 그는 더 이상 과거를 좇지 않는다. 그가 잃은 것만큼, 그는 새로운 삶을 얻었다.

그는 다시 처음부터 살아가야 했다. 과거에 사로잡힌 채 머물러 있는 것이 아니라, 새로운 가능성을 향해 나아가야 했다. 그렇게, 도윤은 과거가 아닌, 진짜 현실 속에서 또 다른 삶을 향해 걸어가기 시작했다.

24화. 서아의 결정

도윤이 떠난 후, 서점은 깊은 정적에 잠겼다. 서아는 문 앞에서 그가 사라진 방향을 한동안 바라보았다. 그는 더 이상 뒤를 돌아보지 않았다. 이제 그는 과거가 아닌 현실을 살아가기로 한 것이다.

문이 닫히자, 서점 내부는 다시 원래의 모습으로 돌아왔다. 하지만 왠지 낯설었다. 책장에 정리된 책들은 여전히 그 자리에 있었고, 종이에 스며든 지 오래된 잉크 냄새도 변함없었다. 그런데도 무언가 달랐다. 마치 그가 떠난 순간, 서점의 존재도 흔들리는 듯한 기분이었다.

서아는 천천히 걸음을 옮겼다. 한쪽 벽에 기대어 있던 낡은 의자에 몸을 맡겼다. 그리고 조용히 눈을 감았다. 이제 그녀도 깨닫고 있었다.

이 서점은 단순한 책방이 아니었다. 기억을 보관하고, 조작하며, 누군가에게 새로운 길을 제시하는 공간. 하지만 정작 그녀 자신은 언제부터 이곳을 운영해 왔는지조차 확신할 수 없었다. 도윤이 떠난 지금, 그녀는 선택해야만 했다.

"이제 서점을 계속 유지해야 할까, 아니면 떠나야 할까?"

서아는 시선을 책장 너머로 돌렸다. 책들이 저마다의 기억을 담고 있지만, 어느 것도 그녀 자신의 기억을 담고 있지는 않았다.

언제부터 이곳을 운영했을까?

왜 자신은 서점을 떠나본 적이 없을까?

서점이 그녀를 선택한 것인지, 그녀가 서점을 선택한 것인지조차 알 수 없었다. 그녀는 자리에서 일어나 천천히 서점을 돌아다녔다. 책장과 책장 사이, 좁은 골목 같은 통로를 지나가며 오래된 가죽 표지의 책을 손끝으로 쓸었다. 어떤 것은 누군가의 슬픔을 담고 있었고, 어떤 것은 잊고 싶은 비밀을 감추고 있었다.

하지만 정작 그녀 자신의 기억을 담고 있는 책은 없었다. 그녀는 한숨을 내쉬며, 서점의 가장 깊은 곳으로 걸어갔다. 거기엔 단 한 번도 열어보지 않은, 커다란 책 한 권이 놓여 있었다.

그 책은 늘 그 자리에 있었다. 그러나 서아는 단 한 번도 그것을 펼쳐보려 하지 않았다. 아니, 그럴 필요가 없다고 생각했다. 하지만 지금은 다르다. 그녀는 천천히 손을 뻗었다. 손끝이 닿는 순간, 마치 오랫동안 기다려 왔다는 듯 책이 스스로 열렸다. 그리고 그 안에서 빛이 번졌다.

페이지마다 글자가 살아 움직이며, 형체를 이루었다. 그것은 기억이었다. 그녀가 잃어버린 기억, 그녀가 서점을 운영하게 된 이유, 그녀가 이곳에서 떠날 수 없었던 이유, 그녀는 천천히 책을 읽기 시작했다.

책을 읽어 내려갈수록, 그녀의 손끝이 미세하게 떨렸다. 숨결이 가빠졌다. 그리고 마침내 마지막 페이지를 넘기는 순간, 그녀는 눈을 감았다. 이제 모든 것을 알게 되었다.

그녀가 이곳을 떠나지 못했던 이유도, 서점이 그녀를 붙잡고 있었던 이유도 이제 분명해졌다. 그리고 그것이 곧 서점이 존재하는 이유이기도 했다. 이제, 그녀는 선택해야만 했다.

서점을 계속 유지할 것인가, 아니면 떠날 것인가? 서아는 천천히 손을 들어, 마지막으로 서점을 둘러보았다. 그리고 그녀는 조용히 입을 열었다.

"이제, 나의 선택을 해야 할 시간이야."

그녀의 목소리가 울려 퍼지는 순간, 서점이 천천히 변화하기 시작했다. 기억의 책들이 빛을 머금었고, 공간이 흔들렸다. 이제 그녀의 선택이, 서점의 운명을 결정하게 될 것이다.

서아는 촛불이 희미하게 일렁이는 서고 한가운데 서 있었다. 그녀의 손끝에는 낡은 책 한 권이 들려 있었다. 표지는 빛바랜 가죽으로 덮여 있었고, 묵직한 금박 글씨가 아직도 희미하게 남아있었다. 책을 펼치자 바스락거리는 소리가 조용한 공간을 가득 채웠다. 오래된 잉크 냄새가 먼지 속에서 스며 나왔다.

「청연서점 역대 주인 기록」

책의 제목을 본 순간, 그녀의 손끝이 미세하게 떨렸다. 그녀는 숨을 고르고 첫 장을 넘겼다. 기록에는 서점의 이전 주인들의 이름이 하나씩 적혀 있었다. 익숙하지 않은 이름들이었다. 하지만 그들의 이름이 적힌 페이지를 따라가다 보니, 그녀는 섬뜩한 사실을 발견했다. 그들 모두 어느 시점에서 흔적도 없이 사라졌다는 것.

"…사라졌다?"

그녀는 다시 기록을 살폈다. 어떤 이는 '서점과 함께 소멸함'이라고 적혀 있었고, 또 다른 이는 '사라진 이후 행방불명'이라고만 기록되어 있었다. 그녀는 깊은 혼란에 빠졌다. 이곳에 남는다면, 그녀도 언젠가 사라지게 될까?

서점은 그녀에게 기억을 되찾을 기회를 주었다. 그녀는 그 대가로 많은 것을 잊었다.

하지만 이제 서점을 떠난다면, 그녀는 자신의 잃어버린 기억을 영영 되찾지 못할지도 모른다. 서점이 없다면, 그녀의 존재는 어떻게 될까?

여기서 사라진 사람들은 단순히 죽은 것이 아니라, 마치 처음부터 존재하지 않았던 것처럼 기록에서조차 지워지고 있었다. 그녀는 책을 덮으며 조용히 중얼거렸다.

"이곳에 남으면, 나는 나로서 존재할 수 있을까?"

그녀는 서점에서 너무 오래 머물렀다. 이제 현실로 돌아가야 할까, 아니면 서점을 지켜야 할까? 그녀는 문득 도윤을 떠올렸다. 그는 과거를 쫓았고, 결국 기억을 되찾았지만, 현실을 선택했다. 그는 떠났다. 하지만 그녀는? 그녀도 떠나야 하는 걸까?

서아는 천천히 문 쪽으로 걸어갔다. 손을 뻗으면 문이 열릴 것이다. 밖에는 현실이 있다. 따뜻한 햇살이 내리쬐는 거리, 커피 향이 풍기는 카페, 그리고 사람들이 살아가는 도시.

그녀는 손잡이를 잡고 살짝 돌렸다. 그러나 문은 열리지 않았다. 그녀는 당황한 듯 다시 손잡이를 돌렸다. 하지만 문은 꿈쩍도 하지 않았다. 그녀의 손끝이 떨리기 시작했다.

"왜…?"

그녀는 몇 걸음 물러섰다. 서점이, 그녀를 붙잡고 있는 걸까? 아니면, 그녀가 떠나기를 두려워하고 있는 걸까?

그녀는 책장을 돌아보았다. 수많은 책이 그녀를 지켜보고 있었다. 그 속에는 잊힌 기억들이, 사라진 사람들이, 그리고 그녀 자신이 있었다. 이곳은 단순한 서점이 아니다. 기억을 품은 공간이며, 사라진 자들의 흔적을 담은 장소였다.

그리고 이제, 그녀는 선택해야 한다. 과거를 알기 위해 남을 것인가, 아니면 현실을 선택하고 떠날 것인가? 서아는 조용히 숨을 들이마셨다. 그리고 마지막으로 문을 바라보았다. 그녀의 선택에 따라, 서점의 운명이 결정될 것이다.

서아는 서점 한가운데 서 있었다. 책장마다 빼곡히 꽂힌 책들은 마치 그녀를 바라보는 듯했다. 그녀는 그 시선을 피하지 않았다. 오래된 서고의 공기는 적막했다. 촛불이 흔들리는 순간마다, 서점도 함께 숨을 쉬는 듯했다.

그녀는 손을 뻗어 가장 오래된 책 한 권을 꺼냈다. 표지는 낡아 손끝만 스쳐도 바스러질 듯했고, 가죽 재질 위에는 이름도 없이 희미한 금박 흔적만이 남아있었다. 책을 펼치자, 먼지가 흩날렸다. 낡은 종이 사이에 남겨진 흔적은 과거를 품은 채 서아를 기다리고 있었다. 그녀는 페이지를 넘기며 속삭였다.

"기억은 지워지는 것이 아니라, 선택에 따라 남아있는 것뿐이야."

그녀의 목소리는 서점 안에 잔잔히 울렸다. 그 순간, 어딘가에서 책장이 흔들렸다. 마치 그녀의 말을 인정이라도 하듯 했다.

서점의 공기가 달라졌다. 그녀가 결정을 내려야 할 순간이 가까워졌다는 것을, 서점도 알고 있는 듯했다. 그녀는 두 손을 마주 잡고 가만히 숨을 골랐다. 이곳에서 살아가겠다는 것은, 존재를 지워가는 과정과 다를 바 없었다. 기억을 다루는 자는 결국 기억 속에서 잊히게 된다. 기록을 남길 수 없고, 자신이 누구였는지도 흐려진다.

그녀는 책장을 바라보았다. 모든 기억이 여기에 있다. 어떤 기억은 사람들의 고통을 덜어주었고, 어떤 기억은 그들의 운명을 바꾸었다. 서점은 늘 이곳에 머물며, 그 선택을 감내해야 했다.

그녀도 그 길을 갈 것인가? 아니면, 현실로 돌아가 살아갈 것인가? 서아는 천천히 몸을 돌렸다.

서점의 문이 보였다. 그 문을 열고 나가면, 다시는 이곳으로 돌아올 수 없을지도 모른다. 하지만 문을 닫는다면, 그녀는 이곳에 영원히 머물러야 한다. 그녀의 시선이 흔들렸다.

"나는 정말로 떠날 수 있을까?"

그녀는 문을 향해 걸어갔다. 손끝이 문고리에 닿을 때, 서점이 마치 한숨을 내쉬듯 기이한 기운이 흘렀다. 마지막으로 한 번 더 돌아보았다. 책들이 그녀를 붙잡는 것 같았다. 아니, 어쩌면 그녀가 책들을 붙잡고 있는 것일지도 모른다. 서점은 떠나는 자를 붙잡지 않는다. 선택은 언제나 그들의 몫이었다. 그녀는 천천히 손을 내렸다. 그리고, 문을 열었다.

문이 열리는 순간, 서점 안으로 빛이 스며들었다. 따뜻한 공기가 안으로 들어왔고, 먼지가 빛 속에서 부유했다. 그녀는 천천히 발을 내디뎠다. 그러나, 그 순간 그녀의 손끝에서부터 몸이 희미해지기 시작했다.

"나는… 사라지는 걸까?"

그녀의 존재가 점차 투명해졌다. 마치 기억 속으로 녹아들 듯, 그녀의 모습이 희미해졌다. 그녀는 마지막으로 조용히 미소 지었다. 그녀가 떠나는 것이 아니라, 서점이 그녀를 품어 가는 것이었다.

문이 닫히는 순간, 서점은 다시 조용해졌다. 그리고, 그곳에는 아무도 남아있지 않았다. 책들은 조용히 숨을 죽였고, 촛불은 흔들림 없이 타올랐다. 어떤 이는 이렇게 말할 것이다.

"서점은 여전히 그곳에 있다."

하지만, 또 다른 이는 이렇게 말할 것이다.

"그 서점은 더 이상 존재하지 않는다."

그것은 누구의 기억 속에 남아있느냐에 달려 있을 것이다. 서아는 사라진 걸까?

아니면, 그녀가 서점이 된 걸까? 누군가 다시 그 문을 열 때까지, 서점은 조용히 기다리고 있을 것이다.

25화. 문을 닫다

서점 안은 유난히 조용했다. 촛불 하나가 희미한 불빛을 깜빡이며 빛과 그림자의 경계를 흔들고 있었다. 서아는 천천히 숨을 들이마셨다. 공기에는 오래된 책에서 배어 나온 종이의 향과 촛농이 녹아내리는 냄새가 섞여 있었다.

손끝으로 나무 책장을 스치며 그녀는 오랜 시간 이곳에서 만났던 사람들을 떠올렸다. 기억을 되찾기 위해 찾아온 사람들, 잊기 위해 서점을 찾았던 사람들, 그리고 기억 속에서 길을 잃어 헤매던 이들까지. 모두 각자의 사연을 가졌고, 서점은 그들에게 길을 열어주었다. 하지만 정말 그 길이 옳았을까?

서점이 가진 힘이 과연 사람들에게 도움이 되었을까? 아니면 그들을 과거에 묶어 두는 족쇄가 되었을까?

서아는 그동안 보아온 모습들을 떠올렸다. 기억을 되찾은 이들은 끝내 그 기억을 품지 못하고 무너졌고, 기억을 잊으려 했던 이들은 결국 또 다른 아픔을 겪었다. 기억이 단순히 사라지거나 돌아온다고 해서, 사람의 마음조차 회복되는 것은 아니었다.

그녀는 조용히 눈을 감았다.

이제, 이 서점이 해야 할 일은 달라져야 했다.

서아는 마지막으로 서고 깊숙이 숨겨진 책을 꺼냈다. 서점의 핵심이 담긴 오래된 기록이었다. 책을 펼치자 마치 오래된 숨결이 한 순간 방 안을 감쌌다. 바람이 없는데도 종이가 살짝 흔들렸고, 촛불이 가늘게 떨렸다. 책 속에는 지금까지 서점이 거쳐 온 시간과, 수많은 사람이 남긴 기억의 흔적이 서려 있었다. 그녀는 손끝으로 그 흔적을 따라가며 마지막 문장을 가만히 읽었다.

"기억은 단순한 과거가 아니라, 살아가는 동안 품어야 할 현재이다."

그녀는 미소를 지으며 책을 덮었다.

"기억을 바꾸는 것이 아니라, 기억을 품고 살아가는 것이 중요하다는 걸 이제야 깨달았어."

그 순간, 서점이 미세하게 흔들렸다. 그녀의 말에 응답이라도 하듯, 책들이 가만히 숨을 죽였다.

서점이 사라지는 것은 아니었다. 하지만 이제부터 더 이상 기억을 조작하지 않기로 했다. 잊고 싶은 사람에게서 기억을 지워주지도, 되찾고 싶은 사람에게 기억을 돌려주지도 않을 것이다. 이제 서점은 단순한 책방으로 남아, 책을 읽는 사람들에게 다른 방식으로 영향을 주게 될 것이다.

사람들은 책을 통해 자신을 되돌아볼 것이다. 그들의 마음에 남은 기억을 정리하고, 어쩌면 그 속에서 스스로 길을 찾을 수도 있을 것이다.

서아는 창가에 서서 서점 안을 바라보았다. 이제 이곳은 더 이상 '기억을 조작하는 공간'이 아니다. 하지만 그런데도, 여전히 이곳을 찾는 사람들은 있을 것이다. 그녀는 서점 문을 열어 두었다. 그리고 가만히 속삭였다.

"이제, 기억은 서점이 아니라, 사람들 스스로가 선택해야 해."

그 순간, 촛불이 부드럽게 흔들렸다. 마치 서점이 그녀의 결정을 받아들였다.

아침 공기가 차가웠다. 가을의 끝자락이었고, 서울의 도로 위로 옅은 안개가 깔려 있었다. 김도윤은 커피 한 잔을 손에 들고 사무실로 향했다. 변호사로서 다시 일을 시작한 지 몇 달이 지나고 있었다. 여전히 바쁘고 치열한 삶이었지만, 그 속에서 그는 더 이상 '잃어버린 기억'을 찾으려 애쓰지 않았다.

사건 서류를 정리하는 손길이 예전보다 가벼웠다. 법정에서 마주하는 사람들의 얼굴도 이제는 무겁게 다가오지 않았다. 그는 더 이상 과거의 유령을 좇지 않았고, 지금 살아가는 현실을 온전히 받아들이기로 했다. 과거는 사라졌지만, 이상하게도 그는 전보다 더 단단해진 기분이 들었다.

예전의 도윤이라면, 그는 끊임없이 뭔가를 쫓았을 것이다. 기억을 되찾기 위해, 잃어버린 조각을 맞추기 위해, 과거에 묶여 자신을 괴롭혔을 것이다. 하지만 이제 그는 달랐다.

기억을 완전히 되찾지는 못했지만, 그것이 더 이상 중요하지 않았다. 중요한 것은, 자신이 살아가는 이 순간을 어떻게 받아들이느냐였다.

그는 종종 길을 걷다가, 설명할 수 없는 따뜻한 감정을 느꼈다. 어딘가에서 누군가와 함께했던 기억이 어렴풋이 떠오를 듯하다가 사라지곤 했다. 하지만 그것을 붙잡으려 애쓰지는 않았다.

그것이 사랑이었든, 슬픔이었든, 상실이었든.

기억하지 못해도, 그가 살아온 시간은 그의 몸 어딘가에 새겨져 있을 테니까.

어느 날, 도윤은 마지막으로 청연서점을 찾았다. 하지만 서점의 분위기는 예전과 달랐다. 이제 이곳은 단순한 책방이었고, 더 이상 기억을 지우거나 되찾아 주는 공간이 아니었다.

서아는 조용히 책을 정리하고 있었다. 도윤은 그녀를 바라보다가, 마침내 입을 열었다.

"기억을 잃어도, 우리가 살아온 시간이 사라지는 건 아니야."

서아는 살짝 고개를 끄덕이며 미소 지었다.

"맞아. 기억은 잊힐 수도 있지만, 사라지는 건 아니야. 우리 안에 남아있는 거야."

그들은 더 이상 과거에 묶이지 않은 채, 서로를 바라보았다. 그리고 마침내, 도윤은 조용히 서점 문을 나섰다. 길 위로 부드러운 가을바람이 불어왔다. 이제 그는 과거가 아니라, 새로운 삶을 향해 걸어가고 있었다.

빛은 서점 안을 조용히 스며들었다. 창가에 걸린 커튼 사이로 부드러운 햇살이 퍼지고, 책장 사이에는 먼지 대신 따뜻한 공기가 가득했다.

이전과 달라진 것은, 더 이상 이곳에서 '기억'이 사라지거나 되돌아오지 않는다는 것이었다.

서아는 서가를 따라 천천히 걸었다. 그녀의 손끝이 가볍게 책들의 표지를 스치며 지나갔다. 예전 같았으면, 어떤 책은 누군가의 기억을 흩어버리고, 어떤 책은 사라진 조각을 되살려냈을 것이다.

그러나 이제, 그저 책일 뿐이었다.

하지만 신기하게도, 책의 존재 자체가 여전히 사람들에게 영향을 주고 있었다.

그녀는 조용히 책 한 권을 꺼내 펼쳤다. 책장 사이로 잔잔한 종이 냄새가 퍼졌고, 그 속에는 여전히 수많은 이야기가 담겨 있었다.

기억을 조작하는 힘은 사라졌지만, 그 대신 사람들이 스스로 기억을 마주할 수 있도록 돕는 공간이 된 것이다.

어느 날, 한 남자가 서점을 찾아왔다. 그는 천천히 문을 열며, 주위를 둘러보았다. 한때 청연서점의 문을 두드렸던 사람들과 다를 바 없는 표정이었다. 잃어버린 것이 있는 듯한 눈빛, 되찾고 싶은 것이 있는 듯한 걸음걸이였다. 서아는 조용히 그를 바라보다가, 한 권의 책을 건넸다.

"기억을 되찾아 주는 책은 아니지만, 그 기억을 안고 살아가는 방법을 알려줄지도 몰라요."

그 남자는 한동안 그녀를 바라보다가, 책을 받아서 들었다. 그리고 조용히 서점 한편에 앉아 책장을 넘겼다. 그것은 단순한 책이었다. 그러나 그 속에는 여전히 무언가를 바꾸는 힘이 있었다. 책이 기억을 바꾸는 것이 아니라, 기억을 품고 살아가는 사람들에게 위안을 주는 방식으로 존재했다.

시간이 지나면서, 서점은 조금씩 달라졌다. 기억을 되찾으려 하던 사람들은 더 이상 이곳을 찾지 않았고, 대신 이야기를 통해 위안을 얻으려는 사람들이 찾아오기 시작했다.

서아는 이제 책방지기로서, 사람들이 책을 통해 과거가 아닌 현재를 살아갈 수 있도록 돕는 역할을 하기로 했다. 그녀는 책장을 정리하며 문득 조용히 중얼거렸다.

"이제부터는, 기억을 바꾸는 것이 아니라, 기억을 안고 살아가는 사람들이 오겠지."

그 말이 끝나자, 문이 열렸다. 그리고 새로운 누군가가, 서점 안으로 조용히 발을 들여놓았다.

"여기가 기억을…"